PASSEZ AU SALON

150 anecdotes de salons du livre

Projet dirigé par Marie-Noëlle Gagnon, éditrice

Conception graphique : Nathalie Caron
Révision linguistique : Line Nadeau et Annie Pronovost
Mise en page : Andréa Joseph [pagexpress@videotron.ca]

Québec Amérique
329, rue de la Commune Ouest, 3e étage
Montréal (Québec) Canada H2Y 2E1
Téléphone : 514 499-3000, télécopieur : 514 499-3010

Nous reconnaissons l'aide financière du gouvernement du Canada par l'entremise du Fonds du livre du Canada pour nos activités d'édition.

Nous remercions le Conseil des arts du Canada de son soutien. L'an dernier, le Conseil a investi 157 millions de dollars pour mettre de l'art dans la vie des Canadiennes et des Canadiens de tout le pays.

Nous tenons également à remercier la SODEC pour son appui financier. Gouvernement du Québec - Programme de crédit d'impôt pour l'édition de livres - Gestion SODEC.

Conseil des Arts du Canada | Canada Council for the Arts

SODEC
Québec

Catalogage avant publication de Bibliothèque et Archives nationales du Québec et Bibliothèque et Archives Canada

Vedette principale au titre :
Passez au salon : 150 anecdotes de salons du livre
ISBN 978-2-7644-2801-6 (Version imprimée)
ISBN 978-2-7644-2820-7 (PDF)
ISBN 978-2-7644-2821-4 (ePub)
1. Livres - Industrie - Expositions - Anecdotes. I. Massé, Isabelle.
II. Fontaine, Hugo.
Z121.P37 2014 070.5074 C2014-941790-X

Dépôt légal : 4e trimestre 2014
Bibliothèque nationale du Québec
Bibliothèque nationale du Canada

quebec-amerique.com

Imprimé au Québec

ISABELLE MASSÉ ET HUGO FONTAINE

PASSEZ AU SALON

150 anecdotes de salons du livre

Québec Amérique

À Arto, Xavi, Isaac et Christophe,
en souhaitant qu'ils aiment les livres
autant que nous.

« Le salon du livre, c'est à la fois du *speed dating* et une *blind date.* »

Biz

« Un salon, c'est éprouvant mais valorisant. C'est un moment de vedettariat où on te met sur un piédestal. Mais il faut que tu te répètes en boucle qu'il y a aussi des gens qui te haïssent. »

Serge Chapleau

AVANT-PROPOS

HUGO

Je ne suis pas auteur, je ne suis pas non plus du monde littéraire. Je suis journaliste. J'ai écrit une œuvre de journaliste (*La Grenade verte*), pas de la littérature. J'aime les livres, mais, de toute ma vie adulte, je n'ai jamais fréquenté les salons du livre.

Peut-être est-ce mon côté radin, mais j'ai toujours préféré les bouquineries et livres d'occasion aux librairies ou aux grands salons, toujours préféré fouiner sur des tablettes poussiéreuses à la chasse aux obscurs ouvrages sur la montée du fascisme italien dans les années 1920.

Il aura donc fallu que j'écrive moi-même un livre pour me retrouver une toute première fois au Salon de Montréal, puis à celui de Québec quelques mois plus tard. À ma grande joie ! J'avais tellement hâte de faire connaître une histoire qui, à mon avis, a trop peu de place dans la mémoire collective. L'histoire de cadets de quatorze et quinze ans, réunis dans un dortoir d'une colonie de vacances, sur la base de Valcartier, par une journée pluvieuse de l'été 1974. Plus d'une centaine de gamins. Un cours sur la sécurité des explosifs. De fausses grenades, inoffensives. Parmi elles, coup du sort, une vraie. Elle explose. Des morts, des blessés, des adolescents traumatisés et leur vie marquée, encore trente-cinq ans après le drame.

Avant d'arriver au Salon, j'avais naïvement cru que mon ouvrage susciterait un déferlement de questions. J'ai déchanté… Entouré de livres de recettes, je regardais passer les lecteurs ou les gastronomes qui s'accrochaient le regard dans mon stand, me souriaient poliment et poursuivaient leur lèche-vitrine littéraire. Moi, c'est à ma bouteille d'eau que je m'accrochais – j'ai d'ailleurs constaté, en travaillant sur ce livre-ci, que je n'étais pas le seul !

Il faut dire que mon bouquin n'est pas grand public : ce n'est pas la biographie de Normand Brathwaite !

ISABELLE

C'est vrai que faire la tournée des salons du livre avec une vedette populaire apporte son lot de visiteurs. C'était en 2012, dans la foulée de la publication de la biographie autorisée *Brathwaite : comment travailler comme un nègre sans se fatiguer*. Il y a eu des rencontres et des séances de dédicaces à Québec, Montréal, Gatineau, Rouyn-Noranda, La Sarre ainsi que dans une ou deux librairies. Avec Normand à mes côtés… ou plutôt moi aux côtés de Normand. Chanceuse que je suis, l'attente à notre table n'a jamais été trop longue avant l'arrivée d'un lecteur curieux ou d'un admirateur de l'animateur de *Piment fort* et de *Belle et Bum*, et ce, même quand dame Nature était clémente et convainquait les gens de se la dorer au soleil plutôt que d'aller s'enfermer dans un aréna ou une place Bonaventure. Au même moment où d'autres auteurs esseulés fixaient l'horizon en attendant leur sauveur...

HUGO

J'en suis ! Je t'ai même demandé si Normand pouvait venir passer quelques minutes à mon kiosque.

ISABELLE

Mais quand on a la peau de la même couleur que son sujet, qu'on frise comme lui, qu'une partie de nos ancêtres a vécu dans les Caraïbes comme les siens et qu'on se trouve épaule contre épaule à un kiosque dans un salon du livre, on passe plus souvent pour un membre de la famille Brathwaite que pour l'auteure de sa biographie !

En me voyant assise à côté de Normand, plusieurs personnes m'ont confondue avec sa fille, Élizabeth, ou (qui sait ?) avec la sœur aînée qu'elle n'a jamais eue, toujours à notre grand étonnement. On m'a même prise pour son épouse, Marie-Claude, et son ex, Johanne Blouin !

« Mais non, monsieur, mais non, madame, c'est Isabelle Massé, l'auteure qui a travaillé quatre ans à écrire ma biographie. » Souriant, Normand répondait toujours poliment, jamais exaspéré. Sauf une fois, en séance de dédicaces au Salon du livre de

Trois-Rivières. Un monsieur-*fan*-de-Normand-qui-ne-connaît-finalement-pas-vraiment-Normand s'est approché de notre table pour nous demander: « Bonjour, monsieur Brathwaite. Je peux vous prendre en photo avec votre épouse? » Moi au monsieur: « Ben non, monsieur, moi, je suis... » Normand à moi: « Dis rien, pis fais juste sourire, ce serait trop long de lui expliquer... »

J'imagine ce que pouvaient bien penser ceux qui restaient en retrait!

HUGO

Personne ne m'a confondu avec personne. Mais quand même, quelques visiteurs se sont arrêtés à mon stand, outre les membres de ma famille (merci!). Une dame cherchait un ouvrage qui saurait plaire à un groupe de jeunes décrocheurs renouant avec l'école. Elle m'a demandé si mon livre pouvait leur convenir. J'ai trouvé un tas d'arguments solides... bien longtemps après que la femme a été repartie. Sur le coup, j'ai bafouillé quelque chose de très poche. La dame est disparue au loin, loin d'être convaincue! Occasion ratée.

Puis, un sympathique monsieur est apparu à mon kiosque. Il m'a posé quelques questions sur l'accident de 1974, a pris le livre dans ses mains, a lu la quatrième de couverture. Constatant alors que je travaillais à *La Presse*, il s'est lancé dans un monologue sur les actifs financiers des propriétaires du journal – je vous fais grâce des détails. Je l'ai laissé parler. Il a poursuivi son interminable laïus, faisant fi de mon découragement apparent et des appels à l'aide que je lançais du regard à ma blonde, qui attendait non loin avec nos enfants.

— Y'a plein de gens qui viennent te voir pour ton livre ! m'a-t-elle lancé, enthousiaste, quand ce fut son tour de s'approcher.

— Mouais…

S'il n'y avait eu que ces rencontres, le Salon n'aurait été qu'une simple anecdote de ma vie. Mais si j'en garde un souvenir aussi marquant, c'est d'abord grâce à Réal. Il m'attendait, tout sourire, avant même le début de ma première séance de signatures. Il était là quand la grenade a explosé à Valcartier, en 1974. L'histoire que je raconte, c'est la sienne aussi. Je ne lui avais jamais parlé, mais il s'est reconnu dans le parcours d'autres victimes du drame de Valcartier. Il venait me dire à quel point le livre lui avait fait du bien. Sa seule présence au Salon justifiait les dix-huit mois de travail, les découragements de la recherche et le stress de la rédaction qui ont mené à ce bouquin qu'il me demandait maintenant de signer pour lui.

Et au final, pour ma toute première dédicace, j'ai dû me battre avec la langue. Mettons ça sur le compte de la nervosité, de l'émotion, de la pression de rédiger une dédicace à la hauteur de tout ce que l'on souhaite exprimer. Moi qui utilise la langue française jour après jour, j'ai accroché sur la troisième personne du singulier du subjonctif d'un verbe, très rare il est vrai : le verbe *avoir*. J'ai fini par l'orthographier d'une façon, puis d'une autre, ça a dû se transformer en barbouillage. Je ne crois pas que Réal m'en ait tenu rigueur – ça s'écrit comme ça : « ait ».

ISABELLE

Combien de visiteurs ai-je déçus ? C'est la question que je me pose depuis que nous avons commencé à travailler à ce petit livre-ci. Car, lors de mes entretiens, je me suis rendu compte à quel point une dédicace revêtait une importance monstre pour la plupart des écrivains, très attentionnés. Au-delà des fautes qu'il peut commettre par mégarde, l'auteur est souvent tenaillé par un grand désir de justesse et de pertinence. J'ai compris que ce petit mot incarnait le caractère, la gentillesse et le sens de la repartie de l'écrivain aux yeux du lecteur qui lui tendait son livre. Tout ça en quelques instants !

Or Normand et moi faisions plutôt dans le… concis. « Bonjour, votre nom ? » Et Normand de signer : « À Nathalie, de Normand Brathwaite », puis de me passer le livre pour que j'y appose ma griffe. Point. Mettons ça, tiens, sur le compte de la dyslexie de l'artiste. Un trouble suffisamment prononcé pour rendre la rédaction de prénoms à l'orthographe singulière ardue quand il ne les a jamais écrits. « Vous vous appelez Chrystale ? Abigail ? Andréannick ? » On en riait chaque fois avec les visiteurs !

Et moi ? « Bonne lecture ! Isabelle Massé ». Mettons ça sur le compte de ma lucidité d'auteure et journaliste qui comprend très bien qu'on se pointe à sa table d'abord pour avoir l'autographe d'une idole.

HUGO

J'ai aussi constaté qu'on ne sait pas toujours quoi dire. Lors de ma deuxième séance à Montréal, une jeune femme est passée à mon stand.

— Je n'ai pas l'habitude de venir voir les auteurs au Salon du livre, m'a-t-elle dit d'entrée de jeu.

— Ah bon ?

— Je me suis même demandé si je devais venir ou non. J'aimerais vous remercier pour votre livre, a-t-elle poursuivi en sanglotant. Grâce à vous, je sais enfin ce que mon père a vécu.

Et elle pleurait, là, devant moi. Je la devinais à la fois triste, contente et soulagée. Moi, j'étais sous le choc et sans voix.

— Mon père ne nous a jamais raconté dans le détail ce qui est arrivé. On savait qu'il s'était passé quelque chose dans sa vie, quand il était plus jeune, mais nous n'en avons jamais discuté. Maintenant, je comprends mieux.

On peut imaginer l'effet d'un livre sur un lecteur, mais on ne peut jamais le saisir autant que lorsqu'il nous l'exprime directement, sans filtre. S'il subsistait le moindre doute quant à l'utilité de mon livre, quant à la justification de mes efforts, cette jeune femme et Réal l'ont effacé. Et si j'ai remis en question, lors de longs moments passés seuls à mon stand, la pertinence de ma présence au Salon, cette jeune femme et Réal m'ont clairement répondu. Je ne suis pas auteur, je ne suis pas non plus du monde littéraire, mais je devais être au Salon du livre. C'était ma place.

ISABELLE

C'est en partageant nos expériences fort différentes de salons du livre, toi et moi, que nous avons eu envie de savoir comment les autres auteurs les vivaient, eux aussi.

Foires désuètes pour certains, événements incontournables pour d'autres, les salons du livre sont d'abord des lieux où je me suis fait des amis, et où les solitaires que sont souvent les auteurs peuvent enfin communier avec leurs pairs et leurs inconditionnels. D'où le désarroi lors des longues heures passées seuls à une table sans pouvoir griffonner la moindre petite ligne dans leur bouquin parce qu'ignorés des visiteurs. L'allégresse lors de séances courues. L'émotion lors de rencontres marquantes. Et le rire lors de moments étrangement cocasses.

Les auteurs que nous avons interviewés se sont ouvert le cœur ou se le sont vidé dans les pages qui suivent. En toute humilité et avec une bonne dose d'autodérision.

HUGO

Ils avaient tous quelque chose à partager, une anecdote, une réflexion, des suggestions également. Plusieurs fois on y a reconnu ce que nous avions vécu, nous aussi. Et grâce à la contribution de ceux qui ont répondu à l'appel que nous leur avons lancé, le lecteur comprendra mieux comment ça se passe, un salon du livre, de l'autre côté de la table de signatures.

ISABELLE

Et comme l'écrivait l'autre : Bonne lecture !

Tristan Demers

LA POUNE

Je suis monsieur Salon du livre. Je suis La Poune des salons ! J'en fais depuis 1985, depuis l'âge de douze ans. J'en ai plus de 260 derrière la cravate, dans onze pays : à Beyrouth au Liban, à Guadalajara au Mexique et dans plusieurs pays tant européens qu'africains de la francophonie.

J'ai déjà réservé des billets d'avion pour un salon en Nouvelle-Calédonie et, le soir même, ma blonde m'a annoncé qu'elle était enceinte. Petit calcul… Merde ! elle risquait d'accoucher pendant mon séjour là-bas. Je ne m'imaginais pas vivre ce moment important par Skype en dégustant une *piña colada* en compagnie de pitounes, avec une chute d'eau derrière moi. J'ai donc annulé.

Mais je peux au moins dire que je me suis promené dans les neiges éternelles de la région des Cèdres, au nord du Liban, avec Hubert Reeves qui philosophait à mes côtés. Expérience imbattable !

Autrement, je mords dans les salons. Ils font partie de ma vie. Tous les événements et chamboulements de mon adolescence ont été liés à mon métier. Je n'ai pas eu de relations de casiers d'école comme tous les ados normaux. Je me suis construit avec les salons du livre. J'ai eu mon premier *french* avec Réseau Biblio, pris ma première brosse avec Dargaud et perdu ma virginité chez Fides.

EN TOUTE HUMILITÉ

Georges-Hébert Germain

VICTOR HUGO

Guy ! Guy ! Guy ! En 1991, le Salon du livre de Gatineau a été une locomotive d'une puissance extraordinaire, alors que Guy Lafleur et moi faisions ensemble des séances de signatures pour la biographie *Guy Lafleur : L'ombre et la lumière.*

On était dans son fief. Les gens venaient le voir en pleurant. Plusieurs n'avaient aucune idée de qui j'étais. Ils demandaient au célèbre numéro 10 en me pointant :

— C'est qui, lui ?

— Celui qui a écrit le livre.

Je demandais alors aux lecteurs :

— Voulez-vous que je dédicace aussi votre livre ?

— Si tu veux…

J'aurais pu signer « Victor Hugo » sans que personne s'en aperçoive.

Lors du même salon, une religieuse qui avait enseigné à Guy Lafleur s'est approchée de lui en lançant, à la fois sérieuse et étonnée :

— Guy, je t'ai montré à écrire. Tu aurais pu l'écrire toi-même, ton livre !

Simon Boulerice

LA *SPLIT*

Je suis une vraie guidoune. Lors d'un Salon du livre de Montréal, quelqu'un m'a dit :

— Si tu fais la *split*, ici, par terre, tout de suite, j'achète ton livre.

Je l'ai fait, pas réchauffé, pas d'orgueil. En me relevant, je me suis dit que ma *split* valait 1,50 $, soit mes droits d'auteur.

Pierre Cayouette

LE BLOND D'À CÔTÉ

C'était la folie au salon du livre. Des cordons de sécurité étaient nécessaires pour bien diriger les centaines de personnes qui voulaient rencontrer le commandant Robert Piché. C'était une vedette, un héros – et ma biographie sur sa vie sortait à peine plus d'un an après les événements qui l'ont rendu célèbre, soit l'atterrissage forcé de son avion de ligne aux Açores.

Deux femmes se sont plantées devant le commandant et moi, qui dédicacions chaque livre :

— C'est qui, le blond à côté de monsieur Piché ?

— Ben voyons, c'est son copilote !

Louis Émond

POPULARITÉ BANLIEUSARDE

À mes yeux, le lancement de *Taxi en cavale* annonçait une carrière d'écrivain prometteuse. C'était en 1992, à Saint-Bruno-de-Montarville, où je vis et travaille. J'avais vendu tous mes bouquins et fait 105 dédicaces. Si bien que l'éditeur avait dû courir à la librairie du coin pour acheter des exemplaires additionnels. La gloire ! Mais j'ai vite déchanté.

Quelques semaines plus tard, je n'ai eu aucun visiteur à mon kiosque, au Salon du livre de Montréal. Pas un chat. Pas… un… chat. J'ai parlé avec l'illustratrice qui m'accompagnait pendant deux heures, sans être dérangé. Ça te ramène sur terre… À Saint-Bruno, je suis prof. Et un prof, c'est connu. À Montréal, je n'étais pas Michel Tremblay !

François Cardinal

PILONNAGE

Ma boîte aux lettres avale une enveloppe non désirée, une lettre d'un de mes éditeurs m'annonçant, avec des gants blancs, qu'on va pilonner les exemplaires invendus d'un de mes livres. Je me demande alors: Quel est le plus grand exercice d'humilité dans la vie d'un auteur? Le pilonnage d'une œuvre qu'on a signée et qui est restée ignorée, ou une séance de dédicaces dans un salon du livre alors que personne ne se pointe à notre table? Eh bien! ça reste les salons du livre.

Martin Michaud

TIC-TAC-TOE

Les moments creux, c'est un phénomène que tu dois être prêt à affronter, comme auteur. Pendant l'un de mes premiers salons du livre, je me souviens avoir vu Michel Tremblay jouer au tic-tac-toe sur une feuille. Si Michel Tremblay est là et s'il n'y a personne à son kiosque, c'est dire qu'il ne faut pas le prendre personnel !

Gabriel Nadeau-Dubois

PERSPECTIVE

J'ai l'impression que *Tenir tête*, que j'ai écrit, remet les choses en perspective – le printemps érable, le mouvement social qui le soutenait, l'image de moi que ces événements et leur couverture médiatique ont dessinée... Les rencontres après la parution du livre ont elles aussi permis une certaine perspective.

Au Salon du livre de Québec, un ancien *leader* étudiant, aujourd'hui professeur de philosophie, est venu me faire part de son expérience personnelle. Il a été président de l'Union nationale des étudiants du Bénin entre 1974 et 1979; il a été emprisonné, torturé même, avant de se réfugier, plus tard, au Canada.

Ce genre d'histoires nous remet un peu à notre place...

Jean-François Nadeau

Ô MAÎTRE !

En commençant ma carrière, j'étais un peu l'homme à tout faire de Gaston Miron, son secrétaire. L'édition, pour moi, c'était d'abord et avant tout Miron. J'ai eu le privilège d'avoir de formidables leçons de littérature de sa part.

Dans un salon, alors que j'étais au début de la vingtaine, Miron m'a dit :

— Viens, on va aller dire bonjour à Victor.

Très connu dans le monde littéraire, Miron l'était moins du grand public. Ce n'était pas Félix Leclerc !

On est arrivé à la table de Victor-Lévy Beaulieu, figure beaucoup plus populaire. Il avait son béret sur le côté, sa barbe habituelle, ses lunettes sur le bout du nez et un immense grimoire devant lui, posé sur un lutrin, et dans lequel les visiteurs pouvaient écrire. Une longue file de gens attendait à son kiosque.

Quand il a aperçu Miron, Beaulieu a tout arrêté. Il s'est précipité devant lui et s'est agenouillé en s'exclamant :

— Ô maître, merci de votre visite !

— Lève-toi, Victor, lève-toi, a rapidement répondu Miron.

Les visiteurs ne comprenaient pas pourquoi Beaulieu s'était arrêté pour saluer cet homme. Et Beaulieu d'expliquer à tous ceux qui faisaient la file que c'était plutôt Miron qu'il fallait lire.

C'était un moment un peu burlesque, mais très fort. Beaulieu voulait montrer que la littérature, c'est bien plus que des têtes que l'on placarde sur des affiches à l'occasion d'un salon, bien plus que des objets de vente. Il y a quelque chose de plus profond et de plus mystérieux qu'on croise dans les allées sans toujours s'en rendre compte.

François Cardinal

JE RÊVE OU QUOI ?

Mon essai *Rêver Montréal : 101 idées pour relancer la métropole* est un collectif. Malgré ce qu'en pensent certaines personnes, j'ai tout de même rédigé plus de la moitié de son contenu.

Lors d'une séance de dédicaces à Montréal, un homme et une femme passaient près de ma table. Croyant que je ne l'entendais pas, la dame s'est exclamée :

— Franchement, il dédicace un livre qu'il n'a même pas écrit !

Bruno Blanchet

SAGA

J'avais été invité à l'émission de radio de Christiane Charette, en direct du Salon du livre de Montréal, devant des centaines de personnes. Avec moi en entrevue : India Desjardins, Chantal Petitclerc et Alexandre Jardin.

Nous avons eu beaucoup de plaisir à discuter ensemble, Alexandre m'a fait un beau compliment et, à la fin du segment, India et Chantal devaient partir. Christiane me demande alors, au micro, toujours en direct :

— Si tu veux rester encore un peu, avec Alexandre.

Comme je n'ai pas d'autres engagements et que je me sens comme un champion du monde, j'accepte d'emblée.

Elle annonce aussitôt :

— Après la pause se joindront à Alexandre Jardin et Bruno Blanchet messieurs Tonino Benacquista et Daniel Pennac !

Rien qu'à entendre ces deux noms, je m'enfonce dans mon siège... Q-q-q-quoi ? Je partagerai, dans trois minutes, la même tribune que l'auteur des Malaussène, la même que celui qui a écrit *Saga* et pis que… que… que l'auteur de *L'Île des Gau-Gau-Gauchers* ? Mais... je n'ai rien à dire, moi ! Ces trois-là, ils ont tout lu, tout écrit, tout compris ! Je suis un ailier droit qui n'a même pas fait le midget AAA. Un faux mime. Un humoriste qui n'en est pas un. Une graine d'auteur. Un imposteur qui vient de passer cinq ans à noter sur des *napkins* des morceaux de vie, au dos de cartons d'allumettes des bouts d'idées et sur de vieux ordinateurs sans accents de cafés Internet enfumés les aventures d'un cancre en cavale. Ce n'est pas de la littérature, c'est de la survie !

Alors, pendant l'entrevue, j'ai ri, j'ai réagi, j'ai tapé des mains, comme si j'existais, mais j'ai fermé ma gueule... Un bon truc, hein ? Personne ne s'en était encore aperçu, jusqu'à ce que Christiane insiste pour m'inclure dans l'échange... Alors que la discussion était virile, elle m'a lancé :

— Et toi, Bruno, qu'en penses-tu ?

Je ne sais plus ce que j'ai raconté tellement j'avais le trac, la trouille, le truc qui pendait raide, et j'espère que rien de tout cela n'a été enregistré... Ça devait sonner comme quand un chat marche sur un clavier :

— Fmqkèrvmèrmèkrmfmvtomnbmymmmerci... Je peux-tu m'en aller, madame Charette ?

MA PUBLIC

Patrick Senécal

L'INVITATION

Je signais à Montréal après la sortie de *Hell.com*. Il y avait une file devant moi, et deux gothiques s'y sont glissés. Ils avaient environ vingt ans. Leur look était assumé, *sexy* et *dark*. Ce type de lecteurs ont toujours *Aliss* dans les mains quand ils arrivent à ma table. « Bonjour, on aime beaucoup vos livres », me complimentent-ils presque chaque fois.

Après que j'ai dédicacé leurs exemplaires, la fille s'est penchée vers moi :

— Monsieur Senécal, vous savez qu'on organise régulièrement des soirées qui ont comme thématique le palais de la Reine Rouge ?

— Heu… on parle de soirées sexuelles ? C'est bien ça ?

— Oui, tout à fait ! On demande aux gens de s'habiller en rouge et la salle est décorée comme dans votre roman.

— Ça finit en partouze ?

— Oui, et il y a des participants de tous âges.

— Ah bon ! Et… ça marche bien ?

— Oui ! Nous serions très honorés si vous acceptiez de prendre part à l'une de ces soirées. Je peux vous donner le nom de l'organisateur.

— Je suis marié.

— Vous pouvez emmener votre épouse. À la limite, vous pourriez venir en observateurs.

— Je vais le lui demander, mais ça m'étonnerait que cette proposition l'intéresse…

Il était hors de question que j'accepte, mais quelques semaines plus tard, intrigué, j'ai écrit à l'organisateur pour savoir si tout ça, c'était du sérieux.

— Absolument, monsieur ! Et on va vous accueillir à bras ouverts !

On me reproche souvent de faire l'apologie de la violence dans mes livres, mais ceux-ci peuvent aussi donner l'envie de baiser !

Kim Thúy

VESTE DE CUIR

Un monsieur vraiment costaud s'est un jour présenté à mon kiosque, un homme au look de motard : veste de cuir, tout tatoué, les doigts pleins de bagues. J'essaie toujours de deviner qu'est-ce qui amène tel ou tel visiteur à venir me rencontrer, alors je lui ai lancé :

— Ah ! vous venez acheter des livres pour votre conjointe ou pour votre mère ?

— Non, m'a-t-il répondu d'une voix très grave, c'est pour moi ! J'ai beaucoup aimé votre premier livre et je viens pour le deuxième.

Il était tout tendre, voulait prendre une photo, et il m'a même donné un bec mouillé.

Jacques Duval

CHARMANT ET SYMPATHIQUE

À mon stand, l'homme me parlait abondamment, me remerciait, me disait qu'il avait toujours acheté ses voitures en consultant mes guides. Il m'appelait « Jacques » gros comme le bras, comme si c'était mon grand *chum*. Je lui ai fait une belle dédicace. J'en ai mis plus qu'il fallait, du style « Au très charmant et très sympathique... ».

Quelques instants plus tard, ma femme m'a demandé si je savais à qui je venais de m'adresser. Je n'en avais aucune idée.

— C'est le gars qui est passé à la commission Charbonneau il y a deux semaines ! Depuis quand tu signes des livres à des bandits ?

Éric-Emmanuel Schmitt

CŒURS EN MOUSSE

En Allemagne, une dame qui s'est présentée à moi était émue à un point tel qu'elle ne réussissait même pas à dire son nom. Elle bafouillait. Je la voyais malheureuse, j'essayais de l'aider et, comme je suis latin, je lui ai pris la main. C'était très exactement la chose à ne pas faire. Elle a retiré sa main de la mienne et s'est enfuie, me laissant tout de même une lettre. Sur le coup, j'ai trouvé la situation ridicule. J'étais même méchant et je me disais que cette femme était ridicule.

Malgré mon jugement extrêmement sévère, le soir, à l'hôtel, j'ai pris le temps de lire sa lettre. Et là, j'ai découvert une personne absolument merveilleuse, avec une réflexion et une sensibilité à l'opposé de l'espèce d'oiseau apeuré que j'avais rencontré plus tôt.

Cela m'a fait réfléchir. Un personnage qui n'a l'air de rien, qui est même un peu ridicule, peut être un trésor de sagesse, d'énergie, de bienveillance et de joie de vivre. Et l'écrivain, dans sa superbe méprisante, est parfois un pauvre être à côté d'une lectrice comme ça.

La situation m'a tant marqué qu'elle est devenue la prémisse de mon film *Odette Toulemonde*, qui débute, dans les premières scènes, avec une femme bafouillant devant son auteur préféré au salon du livre.

J'ai conservé la lettre de cette lectrice inspirante, de même que les cœurs en mousse absolument kitschissimes qui l'accompagnaient. Cela m'a aussi fait changer de regard sur le kitsch. Les cœurs en mousse, disons-le, ce n'est pas ma tasse de thé. Mais ces cœurs en mousse rouge, quand on lisait la lettre, devenaient une merveille.

India Desjardins

AURÉLIE ET AURÉLIE

L'écrivain haïtien Gary Victor a une fille qui se prénomme Aurélie. Tiens donc ! En l'apprenant, je lui ai offert les deux premiers tomes de la série *Le Journal d'Aurélie Laflamme*, un cadeau pour sa fille.

On s'est recroisés, trois ans plus tard, et il m'a confié : « Ma fille a tellement adoré tes livres qu'elle les a prêtés à toutes ses amies. » Elle venait de s'assurer un don des six autres de la collection !

Puis, pour ses dix ans, en mai 2013, la maison d'édition haïtienne Mémoire d'encrier a organisé les Rencontres québécoises en Haïti pour rapprocher les cultures québécoise et haïtienne. Une vingtaine d'auteurs du Québec y participaient, dont Dany Laferrière et Marie Hélène Poitras. Moi, si je m'y suis retrouvée, c'est parce que l'Aurélie de Gary a supplié son père de m'y inviter !

Serge Chapleau

PLOMBIER

Des gens me demandent parfois de les caricaturer au salon du livre. Je leur réponds que je n'ai pas deux ou trois heures devant moi !

Un jour, une dame est arrivée avec ses deux filles.

— Bon, je les ai convaincues de se faire caricaturer ! m'a-t-elle lancé.

— Ah bon ! Votre mari fait quoi, madame ?

— Il est plombier.

— Mon évier est bouché, et je suis prêt à recevoir votre mari chez moi.

— Mais il fait ça pour gagner sa vie !

— Moi aussi.

Simon Boulerice

SIGNATURE ESTHÉTIQUE

Grâce à *Jeanne Moreau a le sourire à l'envers*, j'ai fait une rencontre extraordinaire.

— Est-ce qu'on se connaît ? ai-je demandé à la jeune femme qui me tendait son livre en souriant pour que je le signe.

— Non, mais j'aime vos livres.

— Vous faites quoi dans la vie ?

— Je suis esthéticienne.

Ça m'a rendu tellement heureux qu'une esthéticienne, quelqu'un qui est loin de mes sphères amicale et professionnelle, me lise, que je l'ai invitée au théâtre !

Marie-Sissi Labrèche

FEMME D'EXPÉRIENCE

Je suis souvent mal par rapport à ceux qui viennent me voir. Mal à l'aise, gênée de mes dédicaces. Je suis rouge, mon rire est une façade, je me demande pourquoi j'ai écrit ça… Et comme j'ai fait beaucoup d'autofiction, il faut quasiment que je démêle le vrai du faux avec mes lecteurs. Je bafouille parce que je suis timide.

Une fois, une dame d'un certain âge est venue acheter mon deuxième livre, dans lequel il y a beaucoup de scènes de sexe. J'étais mal à l'aise, encore une fois. J'ai tenté de mettre la vénérable lectrice en garde contre le contenu du livre.

— Ah ! vous savez, m'a-t-elle dit, j'en ai vu, des affaires, dans ma vie !

India Desjardins

PAS DE *E*

J'ai la mémoire des visages et des noms. Surtout quand la lectrice se prénomme « Daphné pas de *e* », une fille charmante de dix ans rencontrée à Rimouski, en 2006, qui se reconnaissait beaucoup en Aurélie Laflamme, gaffeuse comme elle, qui n'aimait pas les mathématiques et dont le père était décédé. Elle a retenu une larme en me faisant ces confidences. À la fin de la séance de signatures, c'est plutôt moi qui suis allée pleurer dans ma chambre d'hôtel.

L'année suivante, quand elle est venue me voir, je l'ai reconnue et lui ai dit : « Salut, Daphné pas de *e* ! » Ça l'a touchée. Depuis, Daphné est déménagée à Montréal pour étudier en musique. Je suis allée *luncher* avec elle. Par ma page Facebook, elle est devenue amie avec Jade, de Charlevoix, une autre lectrice du *Journal d'Aurélie Laflamme*, qui est déménagée à Montréal, elle aussi. Et elles parlent d'être colocs. Tout ça grâce à Aurélie.

Marie Hélène Poitras

LA « POITRASSE »

La différence entre les salons du livre du Québec et celui de Paris ? Là-bas, les visiteurs me parlent toujours de mon accent. On m'appelle systématiquement Marie Hélène Poitrasse et non Poitras. On me demande des marque-pages et non des signets. Et moi, lorsque je suis revenue de la France, après avoir fait des dédicaces pour *Griffintown* à l'hiver 2013, je ne disais plus western mais « ouesterne » !

MAISON DE JEUX

Alain Farah

MA QUEUE

Il y a des auteurs plus équipés que d'autres ! À la parution de *Pourquoi Bologne*, j'ai fait un concours de « la plus longue queue » au Salon du livre de Montréal avec Gabriel Nadeau-Dubois. Les kiosques de nos éditeurs, Lux et Quartanier, étaient près l'un de l'autre. « Ma queue est plus grosse que la tienne ! » On a poussé la métaphore jusqu'à plus soif.

J'ai mis ça sur les réseaux sociaux, Twitter autant que Facebook. D'autres auteurs ont poussé les leurs aussi (« Moi, j'aime les grosses qu... »).

Gabriel a le sens de l'humour. Beaucoup plus que certaines personnes qui se sont indignées : « C'est quoi, cette phallocratie ? »

Il y avait, d'un côté, les gens qui embarquaient dans le jeu de mots et, de l'autre, les enculeurs de mouches, les gens campés dans l'herméneutique.

Au final, qui a remporté le concours ? Honnêtement, même si je bénéficiais de l'effet *Tout le monde en parle*, où j'avais été invité le dimanche précédant le salon, et même si j'ai vécu un week-end de fous, je ne faisais pas le poids devant Gabriel !

Marc Levy

LE PARI

J'adore les expressions québécoises. Il y en a que je trouve vraiment ravissantes.

J'ai un ami au Québec auprès duquel je me nourris de ces expressions et avec qui j'ai fait un pari idiot. Je lui ai dit que, dans mon prochain livre, j'inventerais une expression québécoise et qu'avec un peu de chance elle passerait inaperçue.

La scène de *Si c'était à refaire* se déroule dans un café new-yorkais. Fin d'une discussion entre deux copains :

Andrew serra son ami dans ses bras.

— Bon, c'est mignon comme tout, mais je crois que j'ai un ticket avec la serveuse, alors si on pouvait s'épargner une fricassée de museaux devant elle, je t'en serais très reconnaissant.

— Une fricassée de museaux ?

— C'est une expression québécoise.

— Et depuis quand tu parles le québécois ?

Au Salon du livre de Montréal, j'ai donc eu la visite de plusieurs lecteurs qui venaient me voir, avec le livre ouvert, en me pointant le passage en question :

— Qu'est-ce que c'est que ça ? Ce n'est pas une expression québécoise !

Heureusement, je m'étais en quelque sorte protégé, puisque le personnage qui prononce cette phrase est un peu de mauvaise foi…

Nicolas Dickner

JOYEUX BORDEL

Je participais à un stage de coopération internationale à Santo Domingo. Un après-midi, on s'est arrêtés à la foire du livre, qui était assez étonnante parce qu'elle avait lieu dans un parc plutôt que dans un centre des congrès.

Ce qu'on a essentiellement dans nos salons, ici, ce sont des éditeurs. Là-bas, c'étaient des bouquinistes, des antiquaires, des libraires qui n'étaient pas là pour représenter des éditeurs. Il y avait même un kiosque d'une compagnie minière canadienne installée en République dominicaine. Le côté bordélique de l'affaire avait quelque chose de charmant. Alors qu'ici, il y a quelque chose de très propre dans les grands salons du livre. De très ordonné.

Je me prends parfois à avoir une nostalgie de choses que je n'ai pas connues : Yves Thériault et Victor-Lévy Beaulieu qui se faisaient des compétitions de signatures ; l'époque où Yves Thériault avait suggéré qu'on le place dans une cage en verre avec une machine à écrire et une pile de papiers, une espèce d'aquarium dans lequel il pourrait écrire un roman et le vendre à l'encan à la fin du salon… Ce sont des gens qui avaient une fantaisie qu'on ne voit plus trop. Cela témoigne d'un certain esprit de l'époque. Ce serait à retrouver.

Marie Hélène Poitras

MAGIE

« Ferme tes yeux ! » Je venais de confier aux étudiants de seize ans d'une école de Port-Salut, à Haïti, que j'aime les chevaux. Qu'ils m'inspirent pour mes romans. Que j'avais été cavalière et cochère. En catimini, un employé de l'école était rapidement parti en trouver un. « Ferme tes yeux ! On a du gâteau au chocolat pour toi ! » J'ai joué le jeu et me suis laissé traîner jusqu'à l'extérieur de l'établissement. Un petit cheval blanc m'attendait dans la cour. Je l'ai monté aussitôt, entourée de gens qui jouaient au soccer. C'était comme si on avait fait de la magie !

Benoît Dutrizac

MALOTRU

Je m'en veux encore.

En 1987, je me suis retrouvé au Salon du livre du Mans, en France, avec une douzaine d'auteurs du Québec. Je venais de publier *Une photo vaut mille morts*. Un éditeur des éditions de la Méditerranée est apparu à mon stand :

— Un ami québécois a lu votre livre et m'a dit de le considérer pour une publication en France.

Je venais justement de faire une gageure avec Christian Mistral et Hélène Dorion, assis à mes côtés : c'était à qui allait vendre un bouquin le premier. Et c'est moi qui ai gagné quand ce monsieur a acheté le mien.

Il est revenu deux fois durant le salon pour me donner sa carte professionnelle et me rappeler de lui téléphoner avant mon retour au Québec. Or je couvrais aussi l'événement pour le journal *Voir*. J'étais très occupé… et j'ai oublié de communiquer avec l'éditeur. J'ai oublié ! Quand je suis sans-dessein, je suis sans-dessein !

Dans le train me ramenant à Paris, je n'ai cessé de me taper le front. J'ai cherché sa carte professionnelle sans succès. Comment peut-on rater une occasion pareille ?

Je n'ai jamais osé appeler la maison d'édition, car je n'avais aucune bonne excuse à fournir. Je me suis comporté comme un malotru et je dois vivre avec depuis.

Dominique Demers

J'AI UN RÊVE

J'ai un rêve: qu'il y ait des cabinets de consultation à l'entrée des salons du livre. Comme une agence de *speed dating*! Avec des gens qui connaissent beaucoup les livres et qui pourraient s'entretenir quinze minutes avec un visiteur. Leur but? Jouer les entremetteurs, trouver le bon bouquin selon les goûts de leur client. Des idées comme celle-là, j'en ai cinquante autres!

POINT ZÉRO HUIT

Guillaume Vigneault

BEAUJOLAIS MATINAL

Elle se tenait, fière, dans le hall, devant nos yeux. On l'a aperçue dès notre retour à l'hôtel. Il était passé trois heures du matin. Avec un copain auteur, on venait d'en virer toute une dans les bars de la Troisième Avenue, à Val-d'Or. Il n'était pas question qu'on retourne à nos chambres sans la prendre, cette bouteille de beaujolais. À cette heure matinale, c'était le seul alcool sur lequel on pouvait mettre la main. Mais la bouteille se trouvait dans un panier-cadeau, bien emballée.

Mon ami et moi avons convenu que j'irais parler à l'employée de la réception pour faire diversion pendant qu'il déroberait notre eau-de-vie. Subtilement, si possible. Scouic, scouic, scouiiiiiccccc… Il en arrachait à arracher la bouteille du panier. Je parlais donc de plus en plus fort à la fille de l'hôtel.

Puis soudain, plus un bruit. Je me suis alors retourné pour aller vers l'ascenseur en suivant, comme le Petit Poucet, la paille qui était tombée du panier… Une fois dans ma chambre, on a enfoncé le bouchon avec un couteau, le beaujolais a giclé sur les murs en Gyproc et sur le tapis, et on s'est désaltérés. Dire qu'on était les invités d'honneur d'un déjeuner de la Chambre de commerce de Val-d'Or à peine quelques heures plus tard… On est arrivés portant des chemises hawaïennes et des lunettes pour couvrir nos frasques nocturnes.

François Lévesque

TRADITION

Il y a une tradition au Salon du livre de Saguenay, instaurée par India Desjardins et Patrick Senécal : le vendredi soir, c'est la soirée de karaoké dans un motel glauque de la ville.

On prend chaque fois la place d'assaut. L'endroit est peu éclairé, n'a pas été rénové depuis Mathusalem et la serveuse est blasée.

Un bar peu recommandable ? Quand j'ai appris aux nouvelles, quelques jours après notre première soirée entre auteurs, que quelqu'un venait de se faire tirer à cet endroit, je n'ai plus eu de doute !

Fanny Britt

QUELQUES GORGÉES

J'ai découvert qu'on peut se sentir rebelle dans un salon du livre. Catherine Lalonde, journaliste au *Devoir*, et moi avions participé au recueil de nouvelles pour ados *Premières amours*. J'étais jumelée à elle pour une séance de signatures.

Pour passer le temps, même si on était au kiosque jeunesse de La courte échelle, Catherine a apporté une bouteille de vin et l'a dissimulée sous notre table. Une gorgée, deux gorgées, trois gorgées… À la vôtre !

Je tiens toutefois à dire que je n'ai jamais été soûle « sur la job », que mon taux d'alcoolémie n'a jamais été au-delà de 0,08, monsieur le juge. J'étais en état de conduire et de signer !

Marie Hélène Poitras

LARMES DE MÉTAL

La critique musicale que je suis a tenté en vain de faire renaître de ses cendres le groupe Soupir un soir de Salon du livre de l'Abitibi-Témiscamingue, à La Sarre. De nombreux auteurs étaient alors réunis dans un bar pour une soirée de karaoké.

Normand Brathwaite était présent et j'ai réussi à le convaincre de chanter le succès *Larmes de métal*. Malheureusement, elle ne figurait pas au répertoire…

Finalement, à la surprise générale, il est monté sur scène interpréter *I Am the Walrus* des Beatles, en duo avec Patrick Senécal, qui a eu ces mots tendres pour lui plus tard :

— C'est comme si Normand m'avait invité à chanter à *Belle et Bum* !

Dominique Demers

LE REMÈDE

Champagne et canapés de pétoncles dans la Ville Lumière, rien de trop beau ! J'étais dans un restaurant italien à l'occasion du Salon du livre de Paris. Il faisait chaud et les pétoncles, j'imagine, avaient le goût de retourner à l'eau ! Bref, je me suis intoxiquée en les digérant.

J'ai lancé à quelques collègues :

— Je vais partir. Je ne me sens vraiment pas bien.

Puis, un serveur m'a apostrophée :

— Madame, la grappa guérit tout !

Vous dire que j'ai douté… mais j'ai tout de même avalé mon médicament alcoolisé et, trente minutes plus tard, j'étais sur pied. Quel remède ! Depuis ce temps, j'ai toujours de la grappa au frigo.

Tristan Demers

SOIRS DE SCOTCH

La plus grosse brosse de ma vie, je l'ai prise à Sierre, en Suisse. Mon éditeur à l'époque était Dargaud. C'étaient les années fastes, avant qu'il perde les *Astérix*. J'y étais pour des albums de *Gargouille*. Je me suis tellement fait payer la traite par Dargaud ! Toutes les dépenses des auteurs étaient prises en charge, dans mon cas, même les déplacements en taxi de chez moi à l'aéroport de Dorval.

Là-bas, au stand, une pulpeuse barmaid (Olivia, je me rappelle encore son prénom) nous servait continuellement de l'alcool. Cette magnifique femme métissée m'apportait bière, scotch et autres alcools forts, arachides et bretzels pendant toute la durée des séances de signatures. Comme au casino ! Je me faisais même faire des zombies.

Le soir, Dargaud réservait un étage des discothèques les plus courues. On dansait jusqu'au petit matin.

Mais une nuit, j'ai tellement bu que j'ai vécu un *delirium tremens*. Je me suis retrouvé à tituber comme une guenille molle dans les rues de Sierre. Qui m'a ramené à ma chambre d'hôtel ? Je ne m'en rappelle plus. Mais à mon réveil, le lendemain, j'ai mis le pied dans mon vomi.

Miraculeusement, je me suis présenté à mon stand au salon, mais avec un carton sur lequel j'avais écrit : « De retour dans cinq minutes ». Toutes les dix minutes, je plaçais le carton devant les livres et j'allais vomir dans les toilettes.

Jusqu'ici, c'est la pire journée de ma vie professionnelle, car j'ai l'impression que j'ai failli à la tâche.

Guillaume Vigneault

LA PROMESSE

J'ai fait une promesse à Val-d'Or, où les bénévoles, souvent des profs et des libraires, sont des passionnés comme on n'en voit jamais.

À la fin d'un salon là-bas, j'ai juré à ces personnes que mon prochain roman commencerait à Val-d'Or. Je m'en suis fait une obligation. Même s'il était passé minuit et que j'avais un verre dans le nez, je ne l'ai pas oublié.

Eh bien! *Chercher le vent* s'amorce sur ces mots: « Il m'avait fallu retourner à Val-d'Or. »

LE BOULIER

70
Nombre limite de dédicaces que peut effectuer Michel Rabagliati en deux heures « avant de [s]'écrouler ». Chaque mot inclut un petit dessin, à partir d'une trentaine de modèles que l'illustrateur personnalise du mieux qu'il peut.

36
Nombre de Salons du livre de Montréal auxquels Michel Tremblay a participé depuis 1978.

35
L'âge d'India Desjardins en 2012 lorsque, au Salon du livre de l'Outaouais, elle demande à une bande d'adolescentes si le beau prof qui les accompagne est célibataire :

— Eille, les filles, il est vraiment *hot* !

— Ouache, dégueu, il a trente-cinq ans…

JEUNES ET MOINS JEUNES

Geneviève Jannelle

ERREUR SUR LA PERSONNE

Une fillette s'est arrêtée devant moi, fébrile, les mains tremblantes, les yeux grands ouverts, et m'a tendu un livre. Mais en baissant le regard sur ma cocarde pour lire mon nom, son regard est passé de la joie à la tristesse.

Je venais de quitter mon stand au Salon du livre de Montréal à la fin de ma toute première séance de signatures pour *La Juche*. India Desjardins était dans le même salon au même moment. Mais je n'étais pas l'India de cette petite fille… Je n'étais pas l'auteure de ses péripéties préférées d'Aurélie Laflamme, malgré mes cheveux longs et droits.

Si cette enfant ne s'était pas aperçue que je n'étais pas son idole, je lui aurais signé son livre pour que sa journée soit comblée !

Claudia Larochelle

PAR PITIÉ

India Desjardins, c'est la coqueluche des salons du livre. Une *superstar* ! Le plaisir d'être à ses côtés en séances de dédicaces à Gatineau, en 2014, pour le recueil de nouvelles *Miroirs*, fut donc immense. On ne comptait plus le nombre de visiteurs... pour elle ! J'étais davantage spectatrice que romancière jusqu'à ce qu'une fille de douze ans me tende son livre :

— Je vais aussi vous demander votre signature parce que vous faites un peu pitié.

India Desjardins

CÉLIBATAIRE

Une fillette s'intéressait à ma bande dessinée *La Célibataire.*

— Tu devrais plutôt prendre un *Aurélie Laflamme*, c'est plus de ton âge.

— Non, je veux être célibataire dans la vie.

— Ah oui ! et pourquoi donc ?

— Car je pourrai toujours avoir le bol de *chips* pour moi toute seule.

Gilles Tibo

DIX ANS

Un garçon de dix ans s'est pointé à mon kiosque avec ses deux parents. Un beau petit gars avec un sourire charmant. Les parents, derrière, semblaient plus gênés. Le petit m'a regardé et m'a dit bien franchement :

— Monsieur Tibo, c'est grâce à moi si mes parents lisent. En fait, c'est grâce à vos livres.

Les parents esquissaient un sourire timide, en voulant dire que c'était bien vrai. Leur garçon les avait initiés à la lecture !

Je lui ai donné un livre.

Matthieu Simard

DECRESCENDO

Entre autres réalisations, j'ai publié un feuilleton littéraire pour les adolescents, en treize épisodes: *Pavel*. Dans les salons, quand un jeune vient à mon kiosque, il n'est pas rare que le parent suive. L'adulte prend alors le premier tome de la série, lit le titre à voix haute (*Plus vivant*...) et le volume baisse (... *que toutes*...) à mesure qu'il en prend connaissance (... *les pornstars réunies*). Il dépose le livre et va ailleurs. J'ai perdu bien des ventes à cause de ce titre!

Fanny Britt

JE, ME, MOI

Mon fils de quatre ans pense que le salon du livre, c'est le salon de *mon* livre. Celui de sa maman. Il dit: «Le salon de ton livre.» C'est moi qui m'assois sur une chaise entourée de plein de bouquins et qui signe des dédicaces pour mon *Jane, le renard et moi*, qui, dans son esprit, s'intitule *Jane, le renard et toi.*

Gilles Tibo

MULTIPLICITÉ

Un petit garçon arrive à ma table, voit une pile de livres qui comprend six exemplaires d'un tome de *Noémie*.

— Hein, tu as écrit six fois le même livre ?

X-FILES

Patrick Senécal

QUARANTE-DEUX FOIS

Une femme dans la trentaine m'interpelle.

— Bonjour, je viens faire signer *Sur le seuil*. En passant, je suis contente de voir qu'il y a des gens qui y croient…

— Qui y croient… ? Au mal ?

— Vous n'y croyez pas ?

— Non, madame, je ne crois pas que les gens puissent être possédés par un esprit maléfique.

— Pourtant, j'ai reconnu ma vie dans votre livre, monsieur Senécal. J'ai été possédée quarante-deux fois !

La dame brandit un bouquin qui était sous son bras. Le livre, qu'elle a écrit et publié à compte d'auteur, s'intitule *Ils sont parmi nous*.

— Je veux que vous le lisiez. J'y raconte chacune de mes possessions des dix dernières années.

— Vous savez, madame, la psychologie explique les cas de possession…

— Je suis allée en voir, des psys, et ils n'ont rien pu régler. Vous allez faire des films, bientôt ? Montrez ça à votre producteur !

Elle m'a parlé vingt longues minutes. En revenant à la maison, j'ai ouvert son livre à la dernière page et y ai lu : « Et voilà, ma vie allait bien maintenant. Qu'allais-je faire de cet héritage ? Je me couche. Je réfléchis à tout ça. J'ouvre les yeux. Bip, blip, pishhhh, bip, bip… Mon ordi s'est mis en marche. Seul… Et j'ai compris que je devais écrire mon histoire. »

Je ne l'ai jamais revue.

Serge Chapleau

LA COUETTE

Je les attendais et ils sont venus. En 2004, au Salon du livre de Montréal, les raëliens se sont pointés en délégation. Ils sont d'abord allés au kiosque des journalistes du *Journal de Montréal* qui avaient sorti un livre sur leur infiltration du mouvement raëlien. Après, ça a été mon tour. Ils sont venus me voir à tour de rôle, dans leurs grands habits blancs, pour me remettre une lettre de plainte parce que j'avais tiré la couette de Raël deux mois plus tôt, à l'émission *Tout le monde en parle.*

Leur présence a attiré l'attention des autres visiteurs du Salon. Les gens se plaçaient autour du kiosque de mon éditeur et attendaient simplement qu'il se passe quelque chose. Un gros raëlien chauve s'était même collé une couette sur la tête. Il s'est approché de moi, d'un air menaçant, et m'a dit d'une voix grave et solennelle :

— Tu devrais essayer de me l'enlever, juste pour voir.

— @*?#$#@@%, ai-je répondu.

Le lendemain, il y avait un autre costaud à mon stand. Mais cette fois, c'était un agent de sécurité embauché par ma maison d'édition !

Normand Lester

ARME CLIMATOLOGIQUE

J'ai coécrit deux *thrillers* à caractère scientifique, *Chimères* et *Verglas*, des ouvrages de fiction. *Verglas* est basé sur une enquête que j'avais faite quand je travaillais comme journaliste à Ottawa. Dans cette enquête, je révélais que le Pentagone possédait une ferme à Sainte-Hedwidge, près de Roberval. Elle servait de poste de réception d'ondes électromagnétiques à très basse fréquence dans le cadre d'un travail de recherche mené depuis une station établie en Antarctique.

L'idée du roman, c'est que les Américains voulaient fabriquer une arme climatologique à partir de ces recherches et que la crise du verglas de 1998 était le résultat d'une expérience du Pentagone qui avait mal tourné.

Quelque temps après le lancement du roman, de jeunes hommes sont venus me voir au salon du livre pour me saluer et me remercier.

— Merci de révéler la vérité.

— Ah ! mais il s'agit d'une œuvre de fiction.

— Nous savons que c'est vrai, ce que vous avez écrit, mais que vous ne pouvez pas le dire.

— Non, la ferme de Sainte-Hedwidge et le poste de réception existent vraiment, mais les Américains n'ont pas causé la tempête de verglas !

— Vous avez trouvé une façon détournée de le dire en indiquant que c'est romancé. Nous savons que vous ne pouvez pas en parler ouvertement, que vous allez être assassiné…

Au moins, ils ont acheté mon livre.

Anne Robillard

GESTION DE L'ÉTRANGE

Quatre lecteurs qui arrivaient de Suisse sont venus à ma rencontre dans la foulée de la sortie de la série *A.N.G.E.* (Agence Nationale de Gestion de l'Étrange), qui met notamment en scène des reptiliens, des êtres mythiques à mi-chemin entre l'homme et le reptile. Mes visiteurs étaient extrêmement intéressés par ces personnages de légende.

— Comment se fait-il que vous sachiez tout ça sur les reptiliens ? m'ont-ils demandé.

— En fait, il s'agit d'un roman, ai-je répondu, interloquée.

— Nous avons, nous aussi, quelques connaissances sur les reptiliens. Nous donnons des conférences partout dans le monde à leur propos. Voudriez-vous participer à ces conférences ?

— Mais c'est un roman, ce n'est pas réel !

J'ai décliné l'invitation.

Marie-Sissi Labrèche

ZOMBIE

Zombie ? À la fin des salons du livre, tout le monde finit avec une grippe du câlisse. Nous sommes desséchés, la peau nous craque dans la face comme la Joconde, l'air est sec, les lèvres sont gercées au possible et les yeux sont injectés de sang.

Normand Lester

TOP SECRET

Au Salon du livre de Gatineau, j'ai appris que j'avais raté un gros *scoop*. Alors que j'y étais, peu après la sortie de mon livre *Enquêtes sur les services secrets*, un homme et ses deux enfants faisaient la file. Le type s'est avancé, mais je l'avais déjà reconnu : il jouait un rôle important au Comité de surveillance des activités de renseignement de sécurité, l'organe qui s'assure que les services secrets canadiens fonctionnent dans la légalité. Je l'avais vu dans une conférence de presse quelques mois plus tôt, quand le Comité avait remis son rapport au gouvernement. Il m'a demandé de dédicacer le livre qu'il avait apporté.

— Je l'ai lu, m'a-t-il confié. Et à un moment donné, je me suis dit : « Wow ! Lester a découvert cette chose-là ! » Mais en continuant à lire, j'ai pu respirer un peu mieux en m'apercevant que vous étiez passé juste à côté.

Je lui ai demandé ce que c'était. Il n'a jamais voulu me le dire.

Stéphane Dompierre

MAUVAIS SORT

La séance montréalaise de dédicaces est terminée. Fin de la représentation. Une femme ose tout de même s'approcher. Pauvre dame qui ne tombe pas au bon moment ! Je suis épuisé. Je ne veux que retourner chez moi. Je suis plutôt d'humeur à déconner.

— Monsieur Dompierre, avez-vous des conseils pour être publié ?

Grande respiration. Et, d'un geste de la main, je montre tous les stands du salon.

— À quoi bon être publié ? Il y a déjà tous ces livres à lire !

La femme me regarde avec des yeux méchants en pointant deux doigts crochus dans ma direction. Vient-elle aussi d'imiter le sifflement du serpent ? Elle me jette sûrement un sort. Sans me dire lequel.

LES DOCS

Kim Thúy

DICTON

La salle d'attente était silencieuse. La lectrice avait apporté mon livre *Ru* pour y plonger en attendant de recevoir des traitements de chimiothérapie.

À la page cinquante, je cite un dicton vietnamien: «*Seuls ceux qui ont des cheveux longs ont peur, car personne ne peut tirer les cheveux de celui qui n'en a pas.*» C'est une expression qui renvoie aux possessions matérielles, qui souligne que, sans choses précieuses, rien ne peut nous menacer.

En lisant cela dans la salle d'attente, la lectrice a vu la perte de ses cheveux d'une tout autre façon. Elle a alors lu à haute voix la phrase à tous les patients qui l'entouraient. Cela a brisé le silence, et la salle d'attente est devenue un groupe de soutien.

La lectrice est venue au salon me raconter cette histoire. C'était arrivé un an plus tôt. Elle était maintenant en rémission, et ce court passage de mon roman avait beaucoup soulagé ses peurs. On a ri et on a pleuré en même temps.

Elle est revenue me saluer au salon un an plus tard, et je ne l'ai pas revue par la suite. Je pense encore à elle, car elle a donné une nouvelle dimension à mon livre. Je regrette tellement de ne pas me souvenir de son nom. J'aimerais beaucoup la revoir, lui demander comment elle va. Si elle lit ce livre, qu'elle me donne des nouvelles !

Marie Laberge

ÉPAULE *TATOO*

Vous n'avez pas idée des secrets qu'on peut me confier en trois minutes. J'ai eu des confidences d'ordre sexuel, des victimes d'inceste se sont ouvertes à moi… Et je ne répète jamais ce qu'on me dit. « Vous l'avez écrit pour moi » est la phrase que j'ai entendue le plus souvent et que j'aime le plus entendre. Je ne suis pas là pour guérir, mais j'écoute ce que les gens me racontent.

La Cérémonie des anges, sur le deuil d'un enfant, est mon roman qui a suscité, lors de rencontres, le plus de témoignages émouvants et déchirants. C'est récurrent.

Une dame est déjà arrivée avec le bouquin, l'original avec la photo de la pierre tombale. Elle a tapé dessus en disant : « Ce livre-là, ça m'a sauvée. » Ensuite, elle m'a montré son épaule, sur laquelle elle s'est fait tatouer la couverture.

Il y a cette autre dame, sur son trente et un, extrêmement bien mise, qui s'est approchée de moi :

— J'espère que ce roman va m'aider…

— Vous avez perdu quelqu'un ?

— Mon fils.

— Mon Dieu, c'est tellement dur ! Quel âge avait-il ?

— Trente-trois ans. C'est arrivé avant-hier. Il est tombé d'un échafaudage. C'était un ouvrier de la construction.

Je me suis levée et je l'ai serrée dans mes bras. Je n'avais plus de mot.

Autrement, il y a aussi des femmes enceintes qui se pointent avec mon livre. Je leur fais promettre de ne pas le lire avant que leur bébé ait quelques semaines de vie et que tous les risques de syndrome de mort subite du nourrisson soient effacés. Ce n'est pas loin de la prescription !

Kathy Reichs

AU FRONT

J'étais en Afghanistan avec cinq autres auteurs pour rencontrer les troupes américaines. Un soldat est venu me saluer. Il était en mission là-bas ; sa femme et ses enfants étaient à la maison, quelque part aux États-Unis. Ils se parlaient au téléphone, mais plus le temps passait, plus ils s'appelaient, et plus ils constataient qu'ils n'avaient pas tant de choses à se dire, qu'ils n'avaient pas d'expériences communes au quotidien. C'était la routine familiale contre la vie au front. Ce dont ils discutaient, ce qu'ils avaient en commun, m'a confié le soldat, c'étaient mes livres et l'émission de télé qui en est inspirée. Ils parlaient de moi… Je les liais l'un à l'autre.

Sonia Sarfati

SORTIE SPÉCIALE

Tout mon récit est sorti en un mois. Un accouchement ! Mais là, devant ces deux filles, mon estomac s'est vraiment contracté et j'ai eu les larmes aux yeux. Hospitalisées à l'Institut Douglas, elles avaient le droit de sortir quelques heures. Et cette journée-là, elles avaient décidé de venir me voir au Salon du livre de Montréal. Simplement pour me dire : « Tu as compris ce qu'on a dans la tête. »

J'avais récemment publié *Comme une peau de chagrin*, qui traite de l'anorexie. J'ai toujours été intriguée par la relation que les femmes ont avec la nourriture. On est en amour, on arrête de manger, on est en peine d'amour, on tombe dans le chocolat et la crème glacée. Du coup, j'ai fait beaucoup de recherches et d'entrevues pour ce roman. Je voulais que ce que j'y raconterais, en excluant l'aspect fiction, soit exact. Puis, j'ai laissé passer six mois avant d'amorcer le travail d'écriture pour mijoter mon récit.

Devant ces filles qui avaient attendu qu'il n'y ait personne à ma table pour s'approcher de moi, j'avais les larmes aux yeux et la gorge serrée, mais leur témoignage m'a rassurée. J'avais compris. Je les avais comprises.

Marie-Claude Savard

DIS-LE-LUI !

Une ado de quinze ans avait convaincu sa mère de venir avec elle pour me rencontrer.

— J'ai beaucoup aimé votre livre *Orpheline*. Vous écrivez entre autres que votre mère était instable émotivement, qu'elle jouait avec votre culpabilité et qu'elle était dans la manipulation. Eh bien ! j'ai les mêmes problèmes avec la mienne. J'aimerais que vous en discutiez, toutes les deux.

J'étais abasourdie. Tout autant que la mère, qui ne comprenait pas trop ce qui arrivait. En fait, oui : elle comprenait que sa fille venait de lui révéler quelque chose de plus ou moins positif…

Le petit hamster dans ma tête s'est fait aller. Quoi faire ? Quoi dire ? Je ne suis ni thérapeute ni professionnelle de la santé. Puis, j'ai ordonné :

— La meilleure chose, je pense, madame, c'est que vous lisiez le livre et que vous en discutiez avec votre fille.

La mère était insultée, indignée, mais surtout étonnée. Je me suis alors tournée vers sa fille :

— OK, je comprends qu'on est dans le même bateau, toi et moi. Mais je donnerais tout pour que ma mère soit encore en vie et qu'elle me fasse une scène. Donc, parlez-vous !

Josélito Michaud

COLOSSE

Un livre sur le deuil, ça interpelle et émeut bien des lecteurs. *Passages obligés* a attiré les foules dans les salons du livre et les librairies comme les messes du dimanche à une autre époque.

Les déclarations ont été nombreuses. J'avais le sentiment que les gens attendaient devant ma table comme à la confesse. Je trouvais ça lourd, car je n'étais pas outillé pour soutenir les gens dans leur détresse… J'avais l'impression de porter la douleur de tout le monde.

Alors que je signais des dédicaces dans une librairie de Belœil, une tête au loin dépassait tous les corps devant moi, celle d'un homme de six pieds et sept pouces. Un colosse. Il attendait. Il m'attendait. C'était un des rares hommes dans la file. Sa femme l'accompagnait. C'est elle qui a amorcé la discussion:

— Bonjour. Mon fils est mort d'un anévrisme sous les yeux de mon mari. Mon mari lui avait prêté la voiture et, en la démarrant, il est mort. Mon mari n'a pas parlé depuis. C'est à vous qu'il souhaite se confier.

— Laissez-moi dix minutes et je reviens, ai-je dit aux personnes qui attendaient en ligne.

Je me suis levé, j'ai traîné le colosse entre deux rangées de livres pour l'écouter. Il m'a raconté qu'il se sentait responsable de la mort de son fils. Et, au bout de quelques paroles, il est parti en me signifiant qu'il était maintenant prêt à consulter.

Marc Levy

LE CHOIX

Un restaurateur de Montréal est venu me voir au Salon du livre, très ému. Son fils avait eu un grave accident de voiture. Il était dans le coma en France. On l'avait appelé et on lui avait demandé de se rendre à Paris pour débrancher son fils. Dans l'avion qui l'emmenait vers l'Europe, il a lu *Et si c'était vrai…*, qui raconte l'histoire d'une femme que les médecins veulent débrancher, mais qui, finalement, se réveille. Arrivé à Paris, il a dit : « Non, on ne débranche pas mon fils. » Et son fils est un jour sorti du coma. Après m'avoir raconté tout cela, il m'a pris dans ses bras.

Gilles Tibo

DIX MINUTES

Une dame d'une cinquantaine d'années regardait tous les bouquins qui m'entouraient à mon stand, puis tout à coup ses yeux se sont posés sur *La Petite Fille qui ne souriait plus.* C'est l'histoire d'une jeune fille qui a subi des sévices sexuels. La femme a pris le livre, a lu le résumé et a commencé à tourner les pages.

Je la regardais sans dire un mot. Plus elle lisait, plus l'expression de son visage changeait. Ses yeux se mouillaient. Elle était émue.

Au bout d'une dizaine de minutes – c'est le temps qu'il faut pour parcourir le livre –, elle a rabattu la couverture. Elle m'a regardé, je l'ai regardée, et j'ai senti qu'elle avait vécu quelque chose quand elle était jeune. Elle a déposé le bouquin sur la table et m'a simplement dit :

— Merci beaucoup.

Puis, à travers tous les enfants qui s'agitaient autour de mon stand, elle est repartie, bien droite.

Marie Laberge

CHAQUE FOIS

Confession du mari d'une lectrice à la sortie de *Quelques adieux*, en 1996 :

— Je viens acheter votre livre. Chaque fois que ma blonde lit un de vos romans, notre vie sexuelle s'améliore !

RÉCURRENT

PIERRE CAYOUETTE

« Où est le stand de Marie Laberge ? »

ALEXANDRA DIAZ

« Je viens pour ma femme. »

NORMAND LESTER

« Est-ce que votre livre est offert en cassette vidéo ? »

CONFUSION

Michel Tremblay

BLEUS OU BRUNS ?

Lors de la publication du *Cœur éclaté*, une dame est venue me voir et m'a réprimandé :

— Comment se fait-il qu'il y a un personnage dans un de vos romans qui a les yeux bleus et que ce même personnage a les yeux bruns dans un autre roman ?

— Madame, est-ce que vous me lisez parce que vous aimez ce que je fais ou pour me prendre en défaut ?

— Les deux !

Tous les écrivains commettent ce genre d'erreurs. Elles passent dans les mailles du filet, malgré les relectures et les corrections. Un ami m'a un jour fait remarquer qu'un de mes personnages portait une robe rayée avant de quitter son logement et que cette même robe était fleurie lorsqu'elle arrive au parc Lafontaine !

Louis Émond

L'AUTRE

Nous étions cinq auteurs de la même maison de distribution assis côte à côte derrière une table. Une dame, fin quarantaine, assez corpulente, le genre à avoir un franc-parler, regardait nos noms un à un.

— Ah, connais pas ! Lui, connais pas non plus. Non, connais pas, lui non plus.

Mais arrivée devant moi, elle a aboyé :

— Ah ! vous, je vous connais !

La joie que j'ai ressentie ! Je n'osais regarder mes collègues qu'elle venait de déclarer hors jeu.

— Je connais mes classiques !

J'avais publié quatre ou cinq livres depuis le début des années 1990 et elle les considérait déjà comme des classiques ?

— Ah oui, vous appelez mes livres des classiques ? Je suis touché.

— Bien sûr, monsieur, j'ai lu *Maria Chapdelaine*.

— Mais je ne suis pas Louis Hémon, H-É-M-O-N ! Ce Louis Hémon-là est mort happé par un train en 1913.

— R'garde donc s'il est fou !

Et elle est partie. Je n'aurais jamais pensé qu'on aurait pu me confondre avec mon homonyme, né dans un autre siècle et mort depuis très longtemps. Cette femme est convaincue qu'elle a, un jour, croisé Louis Hémon et que c'est un bouffon.

Michel Rabagliati

PROMENADE EN VOITURE

Une voiture qui roule dans le bois. C'est l'image qui allait entraîner un esclandre au salon du livre. J'étais en pleine séance de signatures quand un autre bédéiste est apparu pour m'accuser de plagiat, sur un ton tout sauf discret.

— Pardon ?

Quelques visiteurs autour du stand étaient témoins de la scène. Mon éditeur aussi. L'autre bédéiste était là, devant moi, et j'essayais de tempérer les choses, mais je ne savais pas trop comment gérer ça… J'étais complètement décontenancé. Pourquoi ne m'avait-il pas envoyé un courriel ? Pourquoi ne m'avait-il pas téléphoné ? Pourquoi était-il venu faire ça devant le public ?

— Je vais vous reparler plus tard, lui ai-je répondu pour mettre un terme à la désagréable situation.

Ça a gâché ma journée et ma soirée. Je lui ai finalement écrit un paquet de bêtises par courriel pour lui dire que je n'avais plagié personne, que c'était insensé d'avoir fait une telle scène. Tout ça pour une séquence d'une auto qui roule dans un bois.

Alexandra Diaz

WILLIAM

Dans un IGA de Repentigny, alors que je dédicaçais *Famille futée*, une femme est venue me voir pour me raconter une histoire... de circonstance, j'imagine! « Une fois, c't'un père dans une épicerie qui pousse un panier dans les allées avec son fils. Je le suis. D'une allée à l'autre, je l'entends dire: "Ça sera pas long, mon beau William. On s'en va bientôt, mon beau William. Encore cinq minutes, William. Tu as bien fait ça, William. Bravo, William!" Une fois dans le stationnement, j'interpelle le père: "Excusez-moi, monsieur, je voudrais juste vous féliciter. Quel beau lien vous avez avec votre fils William! Ce peut être le bordel pour un parent d'aller à l'épicerie avec ses enfants, mais vous savez entretenir une conversation saine et respectueuse avec votre garçon." Le père me répond alors: "Eille, tab..., lui, c'est Thomas, moi, c'est William. Je fais du *self-control.*" » Puis, la visiteuse est partie dans un éclat de rire... Était-ce une blague? Une histoire vraie? Je me le demande encore. Si ce William existe, qu'il me téléphone!

Marie-Sissi Labrèche

OTITE

Je rêvais d'être écrivaine, d'avoir un jour mon petit kiosque au salon du livre.

J'ai publié un premier texte dans la revue littéraire *STOP*, qui n'existe plus maintenant. C'était dirigé par André Lemelin. Je me suis alors rendue au salon du livre pour lui dire merci. Je ne l'avais jamais rencontré, tout se passait alors par la poste. Je suis arrivée au stand, je l'ai salué et j'ai engagé la discussion.

— Bonjour, monsieur, et blablabla… C'est bien ce que vous faites pour la littérature (j'en beurrais épais). C'est bien aussi votre revue *Lettres québécoises*.

— Mais ce n'est pas moi, *Lettres québécoises*.

— Ah non ?

— Non, c'est André Vanasse.

— Ce n'est pas vous, André Vanasse ?

— Non, moi, c'est André Lemelin.

J'étais totalement nerveuse et confuse. Je mélangeais les revues et les André. Et comme j'avais une otite, j'ai crié ça à haute voix dans le kiosque.

François Lévesque

FRANCIS OU FRANÇOIS ?

J'attire la sympathie par procuration. À Québec, une dame s'est approchée pour se faire prendre en photo avec moi et se faire dédicacer *Les Visages de la vengeance.* Comme si je venais d'écrire mon autobiographie, elle m'a regardé dans les yeux, m'a serré le bras, m'a pris ensuite dans ses bras et est repartie sans rien ajouter.

Visiblement, elle croyait que j'avais vécu les sévices sexuels de Francis, le personnage principal de mon livre. Des fois, je me dis qu'on n'est pas loin de l'époque d'*Aurore, l'enfant martyre*, durant laquelle l'actrice qui jouait la marâtre se faisait tirer des roches dans la rue…

Jean-François Nadeau

MONSIEUR LE PRÉSIDENT

À la fin des années 1990, je dirigeais l'Hexagone, la maison d'édition que Gaston Miron avait fondée en 1953.

Cette année-là, le Québec était invité d'honneur au Salon du livre de Paris. Le président de la France de l'époque, Jacques Chirac, faisait la visite des stands. Il est passé au nôtre, s'est arrêté, nous a serré la main et a jasé un peu. Quelques journalistes le suivaient.

J'ai dit à monsieur Chirac:

— Monsieur le président, nous avons tous les deux le plaisir de diriger l'Hexagone!

Tous les Québécois ont ri. Chirac, lui, se demandait un peu où il était... Il ne savait pas du tout de quoi il était question. Il est parti comme un Romain quittant le village gaulois d'Astérix pour ne pas perdre la face, en se rabriant de sa toge!

Paul Ohl

ÉVACUATION

Au cœur de la nuit, vers deux heures, après une journée au salon du livre, l'alarme a retenti dans l'hôtel. J'étais à l'étage. J'ai ouvert la porte de ma chambre, j'ai regardé dans le couloir : il n'y avait pas un chat. Tout le monde avait foutu le camp ! Des portes étaient entrouvertes. Puis, j'ai vu arriver les pompiers.

— Faut que vous sortiez !

Tous les occupants de l'hôtel devaient se rassembler au sous-sol, dans la galerie. Tout le monde était en robe de chambre, un peu confus. C'est là que l'on voit les vrais visages des créatures de salons.

Un auteur disait ne pas avoir pris ses médicaments, un autre n'avait pas sa canne. Il y en avait qui étaient amochés, d'autres qui arrivaient avec l'oreiller sous le bras pour dormir par terre. En l'espace de cinq à dix minutes, chacun s'est mis à raconter le chapelet d'incidents du même type qu'il avait connus.

Puis, comme toujours dans ce genre de circonstances, ça dérape. J'étais avec un éditeur et cinq autres auteurs et on s'est mis à déconner à pleins tubes.

Jusqu'aux histoires de cul et compagnie. Le vernis d'érudition en a pris pour son rhume. On a tous fini par retourner à nos chambres, qui étaient rapidement devenues froides. Il faisait un temps horrible dehors et le chauffage avait été coupé pendant cette évacuation nocturne. Le lendemain, à voir le visage des auteurs fatigués, je peux dire que le salon du livre avait perdu son lustre !

NOS COMPLIMENTS !

Caroline Allard

LES EX

À quoi bon écrire simplement « Bonne lecture ! » dans un livre ? Je préfère jaser avec les gens. Sur la maternité, la sexualité… M'inspirer de l'échange avec mes futurs lecteurs et marquer quelque chose d'authentique. Ricaner dans mes dédicaces.

Comme avec cette femme et cet homme qui, un jour, se sont approchés de moi. Un ex-couple resté en bons termes… en apparence. Après qu'ils ont eu chacun acheté *Les Chroniques d'une mère indigne*, j'ai écrit à la fille : « Quel dommage que tu n'aies pas eu d'enfant avec lui. Ça aurait fait un beau bébé. » La fille a regardé sa dédicace, s'est renfrognée et est partie. Plus tard, ce jour-là, le gars est repassé à ma table.

— Tu ne peux pas savoir à quel point ta dédicace dans le livre de mon ex m'a fait chaud au cœur !

Il m'a raconté qu'à la demande de son ex, à l'époque, ils avaient déménagé en banlieue et qu'il s'était trouvé un meilleur *job* pour la satisfaire, mais qu'elle l'avait finalement laissé pour un autre… Il était donc content que j'aie pris son parti, même à mon insu.

Je me suis fait un admirateur pour la vie. Mais probablement que la fille n'achètera plus jamais mes livres !

Carle Coppens

QUELLE PHRASE ?

Elle n'a pas hésité une seconde, c'est le livre qu'elle cherchait: *Le Grand Livre des entorses.* Elle devait avoir trente ans. Son visage était légèrement empourpré, il fait chaud dans ces salons. Elle a choisi un exemplaire en me souriant. J'ai souri en retour.

Elle a feuilleté les pages, s'est arrêtée pour lire deux ou trois vers au hasard, puis m'a fusillé du regard. Elle s'est débarrassée du recueil sur la table de dédicaces d'un collègue, quelques enjambées plus loin. En tombant, le livre a fait un ploc sonore.

J'ai essayé plusieurs fois, sans succès, ouvrant comme elle aux trois quarts du bouquin, de retrouver les phrases incriminantes.

J'avoue tout de même avoir tiré une certaine fierté de cette réaction épidermique !

Louis Émond

BELLE PRISE

Un père et sa fille se sont approchés de moi avec mon livre *Un si bel enfer* à la main. Ils venaient de le lire ensemble, à voix haute, un chapitre l'un, un chapitre l'autre. Le père était ému.

— J'ai vécu quelque chose d'extraordinaire avec ma fille et je vous le dois. Mon frère s'en venait me chercher pour aller à la pêche et j'ai décommandé en lui disant : « On s'en va au Salon voir Louis Émond. »

Au doré, à la morue ou à l'achigan, il a préféré le romancier et ne semblait pas le regretter. Et pour moi, ce si bel enfer s'est métamorphosé en paradis.

Pauline Gill

GABY 3, 4, 5…

Une Trifluvienne s'est approchée de ma table.

— Madame Gill, j'ai lu tout ce que vous avez écrit !

— Même *Gaby 3* ?

— Oui !

— Mais vous lisez donc bien vite ! Mon livre est sorti hier…

Un peu honteux, son mari l'a tirée par la manche pour qu'elle n'en dise pas plus.

Biz

LA BULLE

Après le printemps érable, une fille est venue me voir pour me remercier de l'engagement de Loco Locass pendant la grève des étudiants. Elle s'est mise à pleurer. J'ai failli craquer, moi aussi. Il y avait plein de monde et, pourtant, nous étions dans un moment à nous deux.

Il y a à la fois une très grande pudeur et un très grand exhibitionnisme dans ce genre de rencontre au salon du livre. On entre dans une bulle bien étrange. Cette bulle-là, tu espères la recréer avec chaque personne.

Louise Portal

L'ACTRICE

Elle devait avoir quatre-vingts ans. Elle était superbe, avec un grand chapeau noir, maquillée, habillée tout en élégance et fière. Elle m'a dit, relevant la tête, à propos de mon récit *L'Actrice*:

— Vous savez, l'actrice, c'est moi!

— Ah bon? ai-je répondu, ne sachant trop comment réagir étant donné que *L'Actrice* est un roman assez autobiographique.

— Pas besoin d'être réellement une actrice pour se reconnaître dans ce livre. Il y a plein d'aspects de cette femme-là qui m'appartiennent et me ressemblent.

Pour une auteure, c'est un magnifique compliment!

Bryan Perro

RÉVÉLATION

J'ai terminé la rédaction des trois premiers tomes d'*Amos Daragon* le 19 janvier 2003, exactement un an après que l'éditeur me l'avait proposé. Le livre a été lancé en mars. J'avais pondu, pendant dix ans, trois pièces de théâtre et trois romans, sans grand succès. *Amos*, c'était un peu la dernière chose que je faisais avant d'arrêter d'écrire.

L'automne suivant, au Salon du livre de Montréal, j'étais très nerveux. J'avais déjà fait quelques salons et je me demandais si j'allais encore passer du temps tout seul à ma table à jaser avec mes jointures.

Je suis arrivé une demi-heure à l'avance et je me suis caché dans le stand d'à côté. Je voyais une file jusqu'au stand de ma maison d'édition, puis une table, et je me demandais qui y serait assis. J'ai regardé l'horaire du salon. Ah, y a pas Ghislain Taschereau, y a pas Normand Lester, mais qui ?

Un visiteur s'est tassé. J'ai alors vu ma face sur une affiche et j'ai constaté que tout le monde avait un *Amos Daragon* dans les mains.

Ça a été un des plus beaux moments de ma vie. J'ai eu les larmes aux yeux. J'ai dû aller marcher un peu et m'enfermer dans les toilettes pour me refaire une beauté ! Après dix ans, je réussissais enfin à toucher des gens, à me trouver des lecteurs. Tous ces gens faisaient de moi un auteur.

Guillaume Vigneault

ÉPIPHANIE

Un moment d'apprentissage à Montréal. Une dame d'environ soixante-quinze ans, habillée en jogging avec des baskets blanches Reebok qui semblaient sortir de la boîte, s'est approchée et m'a cité un passage de *Carnets de naufrage*. Un passage un peu vain, un tampon entre deux moments de mon récit, mais un passage qui l'avait marquée : « Moi aussi, je rétrograde dans les courbes. »

C'est pourtant très juvénile et masculin comme phrase. Mais ça m'a fait réaliser que je ne m'adressais pas qu'à de jeunes urbains. Ce fut une épiphanie. J'ai su dès lors que je n'écrivais pas que pour des gens comme moi.

MAL-AIMÉS

Pauline Gill

TORTURE

Ils sont nombreux à m'en avoir voulu. Et à m'en vouloir encore. À cause de mon roman *Les Enfants de Duplessis*, qui relate les tortures subies par Alice Quinton, mon personnage central, notamment la scène où elle est attachée à un sommier de fer... Ça a marqué les lecteurs, les enfants de Duplessis et les membres du clergé. Je n'avais pas idée à quel point ce livre causerait un émoi, une vague. Surtout lors de mon premier salon, à Québec. Une expérience troublante. « Mon histoire est encore plus épouvantable que celle d'Alice ! », m'ont dit plusieurs enfants de Duplessis qui venaient me voir.

J'ai également vu arriver à ma table un défilé de religieuses et de prêtres habillés en laïcs. Certains de leurs commentaires relevaient de la violence verbale : « Vous n'avez pas fini d'entendre parler de moi ! », a lancé l'un d'eux, les dents serrées, en pointant son doigt dans ma direction.

Pour m'en protéger, mon éditeur a jugé nécessaire de poster en permanence quelqu'un à côté de ma table. J'ai eu mon *bodyguard* !

Car comme j'avais eu le temps, avant le Salon du livre de Québec, de faire beaucoup d'entrevues, de février à avril, les gens savaient où me trouver !

Michel Tremblay

VIVE LE JOUAL !

Pendant quatre ans, au Salon du livre de Montréal, un adolescent est venu me voir pour me dire et me répéter :

— Pourquoi vous écrivez en joual ? Mon prof dit que c'est épouvantable.

Et il partait. Je trouvais drôle que ce soit toujours le même prof d'une année à l'autre…

La cinquième année, il est revenu pour m'avouer cette fois :

— Oubliez ce que je vous ai dit. J'ai commencé à vous lire et je vous aime.

Alexandre Jardin

MONSIEUR BLONDIN

Il m'est arrivé un truc bizarre lors de mon premier salon à l'Opéra de Paris. J'avais sorti *Le Zèbre*. C'était encore un succès, il y avait foule à ma table. Puis, je suis parti pour aller faire pipi. En cherchant les toilettes dans l'Opéra, j'ai croisé ce vieux monsieur alcoolo, Antoine Blondin, romancier, journaliste, styliste absolument virtuose aux attaques de chapitre presque toutes parfaites. Voyez par vous-même : « À la fin de la guerre, les trains recommençaient à circuler. J'en profitai pour quitter ma femme. » N'est-ce pas formidable ? Limpide ? Il a une telle efficacité pour raconter les choses !

Bref, il n'y avait personne devant sa table. J'ai senti tout le ridicule de la situation. Le jeune auteur qui plaît et le grand écrivain qu'on ne remarque pas. C'était absurde. Je trouvais ça cruel, bête et déprimant.

Ce jour-là, j'étais dans l'air du temps. Et pas lui.

Micheline Duff

LUMIÈRE DE NUIT

Un homme m'observait de loin, avec un air un peu méchant. Je me préparais à un commentaire négatif. Il s'est approché et a effectivement commencé en me disant :

— Madame Duff, je suis très fâché contre vous.

— Mon Dieu ! vous n'aimez pas ce que j'écris ?

— Non. C'est que, quand ma femme vous lit, elle n'éteint jamais la lumière la nuit.

Je l'ai embrassé.

Jean Barbe

LA BELLE

Ma première fois au salon ? En 1991, à Montréal, et on entendait le bruit des criquets à ma table ! J'étais rédacteur en chef du journal *Voir* et membre de la *Bande des six* à Radio-Canada, et pas un chat n'est venu me voir. Dure leçon d'humilité !

Je me souviens d'une magnifique jeune fille que j'ai aperçue de loin. Elle s'est dirigée vers moi. Mon Dieu ! est-ce que ça se peut ? Elle s'approche vraiment ? Et quand elle a ouvert la bouche, c'était pour demander :

— Où sont les toilettes, monsieur ?

Prix de consolation ? Deux ans plus tard, à mon retour au salon, Simonne Monet-Chartrand et Michel Chartrand sont venus me voir pour me dire : « On vous aime bien ! » Ah, le privilège ! Je me suis soudainement senti comme un chevalier qu'on adoubait.

Steve Galluccio

MERCI, CHRISTIAN !

Seul à ma table, je devais faire pitié. C'était au Salon du livre de Montréal, lors de la sortie de *Montréal à la Galluccio.* Personne ne savait qui j'étais. Ma table était installée à côté de celle de François Morency et de Christian Tétreault, très connus, eux. Christian passait son temps à me dire: « Je vais t'envoyer du monde. » Pauvre lui !

— Madame, monsieur, vous connaissez Steve Galluccio ? Le scénariste de *Funkytown* ? De *Mambo Italiano* ? Ça vous tente d'acheter son livre ?

— Non !

J'ai vendu trois bouquins en trois jours. Mais au moins, j'ai fait le plein d'inspiration pour un futur scénario de film !

Matthieu Simard

LE CIRQUE

C'est un cirque, ici.

Avec tout ce qu'il faut de clowns, d'éléphants, de pitounes pas si belles aux habits trop moulants, de lions aux crocs tranchants, de cerceaux en feu, de grosses têtes difformes et de livres de recettes.

Bienvenue au Salon du livre de Montréal. Là où les poumons s'emplissent d'air trop sec, où les tapis se chargent d'électricité statique et où les signets sont à volonté. Là où on se pile sur les pieds pour voir les mêmes livres que chez Renaud-Bray.

Certains passages de *La tendresse attendra* sont inspirés de mes observations dans les salons, mais l'opinion qu'en a le personnage est pas mal loin de la mienne. J'ai essayé de penser à comment je réagirais si je n'aimais pas ça. Il faut parfois que je le précise, mais j'adore les salons.

Puis, bingo, voilà un jeune homme qui se lance vers moi, avec d'énormes sabots. [...] *Il n'a pas l'air très heureux.*

— *J'ai lu ton livre, là, et il faut que je te le dise... Je comprends pas pourquoi un éditeur a accepté de publier ça. C'est banal, c'est facile, c'est même pas drôle, c'est mal écrit. Je veux pas te faire de peine, mais c'était vraiment pénible à lire.*

Ce passage est tiré d'un fait vécu. Un homme s'était approché de moi. Il avait mon bouquin à la main.

— Je n'ai pas aimé votre livre.

J'avais figé, mais j'étais resté poli.

— Merci de me dire ce que vous en avez pensé.

J'avais quasiment du respect pour celui qui prenait la peine de venir me signifier en personne qu'il n'avait pas apprécié sa lecture. Le plus drôle restait encore à venir. Il avait ajouté :

— Pouvez-vous quand même le signer ?

Carle Coppens

CAUCHEMAR

À la toute fin de la journée, un homme se présente au kiosque derrière lequel je surveille ma marchandise comme un poissonnier son étal. Il me tend brusquement un livre à signer, *Poèmes contre la montre*.

— Vous vous appelez comment ?

— Ce n'est pas pour moi, répond l'homme.

— Très bien, je fais la dédicace à quel nom ?

— Faites-la au nom de Carle Coppens et ajoutez ceci, s'il vous plaît : « Vous n'avez visiblement pas dû vous relire beaucoup pour écrire de telles inepties. Voilà enfin l'occasion de le faire. »

C'est le cauchemar récurrent qui a agité mes nuits la semaine précédant mon premier salon du livre, à Montréal, en novembre 1996.

Georges-Hébert Germain

DÉCEPTION

La promotion de la biographie de Céline Dion m'a fait voyager de Montréal à Paris, en passant par Halifax, des séjours où j'ai tout entendu. Au Salon du livre de Montréal, un lecteur s'est approché de moi et m'a lancé:

— Monsieur, une bio sur Christophe Colomb, c'est bien. Une sur Guy Lafleur aussi. Mais sur Céline Dion, franchement!

Puis, il est reparti les bras ballants. Sans acheter de livre. Ça m'a un peu heurté.

Micheline Duff

GARANTI

Mon premier salon m'a beaucoup impressionnée et excitée. Mais ce n'était pas facile : on louait un petit kiosque, les auteurs étaient au coude à coude et, si tu n'étais pas un peu effrontée, les autres vendaient et pas toi. Parfois, j'allais brailler aux toilettes. Je me sentais écrasée par certains qui avaient plus d'expérience que moi.

Mais ça n'a pas été long que je me suis aguerrie. Je dis maintenant aux visiteurs que, s'ils ne s'arrêtent pas devant moi, ils passent tout droit devant la meilleure (sans le penser sérieusement bien sûr !). Je ne me gêne pas pour leur affirmer : « Plaisir garanti ou argent remis. » Et ça fonctionne !

Simon Boulerice

ENTRE L'OMBRE ET LA LUMIÈRE

Lors de ton premier salon du livre, tu n'es pas connu, tu t'attends à ne pas signer et c'est ce qui arrive. On s'approche de toi pour te demander où sont les toilettes. Et tu finis par te sentir comme une toilette.

Avec les années, je constate que l'intérêt envers moi augmente. Il y a même parfois de vraies files devant ma table. Je m'éloigne tranquillement de l'humiliation pour me rapprocher de l'humilité.

INDISPENSABLES

ANNE ROBILLARD

Une boîte de mouchoirs.

JEAN-FRANÇOIS NADEAU

Un baume à lèvres, deux paires de chaussures et deux paires de chaussettes.

CLAUDIA LAROCHELLE, NOUVELLE MAMAN

Du Purell, du rince-bouche et un tire-lait.

AU STYLO !

Simon Boulerice

MINABLE

La perspective de faire une faute d'orthographe dans une dédicace me cause un stress incroyable. Celle d'oublier un prénom tout autant, car j'ai une mémoire terrible. Ça m'arrive, et ce, même avec des gens que je côtoie régulièrement. Pour mes lancements de livres, j'ai donc élaboré une tactique minable. J'amorce ma dédicace par : « Cher ami ».

Marie Hélène Poitras

L'ÉPREUVE

Je n'aimais pas les néons de la place Bonaventure. Trop gênée, je n'ai pas osé aller voir Anne Hébert, mon écrivaine préférée. Et je suis repartie avec, comme seul achat, la *Déclaration universelle des droits de l'homme*. Voilà en résumé mon premier Salon du livre de Montréal comme visiteuse.

Mon premier salon en tant qu'auteure n'a guère été mieux. J'étais terrorisée. Je ne comprenais pas où aller. Personne ne m'attendait au kiosque de mon éditeur pour m'accompagner. C'est une épreuve, être à un stand. C'est un choc, les premières fois. Les quatre-vingt-dix minutes de dédicaces prévues à l'horaire semblent interminables. En plus, un salon, c'est vraiment sec. Il paraît que c'est parce que les pages des livres absorbent l'humidité.

Lors de mon initiation, je ne savais donc pas comment procéder. D'autres jeunes auteurs autour de moi essayaient de harponner les visiteurs, sans succès.

J'ai compris quelle attitude avoir quand je suis devenue cochère. En calèche, tu n'as le droit d'interpeller que les gens qui se trouvent entre le nez du cheval et le coffre de la calèche. Il ne faut pas avoir l'air d'attendre. Il faut être actif. On le comprend avec le temps. Il y a une fenêtre où les choses peuvent se passer ou pas. On ne peut pas débouler sur les gens. Il faut être disponible, mais avec sensibilité, pudeur et retenue. On doit faire les premiers pas, car les lecteurs sont un peu timides. Comme les auteurs, d'ailleurs.

Josée di Stasio

MISSION IMPOSSIBLE

L'art de la dédicace n'a rien d'évident. Comment trouver le mot juste quand on n'a pas le temps de réfléchir, corriger, effacer et recommencer ? J'essaie de ne pas me lancer dans du trop long pour éviter de me perdre en route. Je tente d'abord de faire passer l'émotion dans la rencontre. Reste que c'est parfois difficile de livrer une dédicace à la hauteur du moment.

Quand j'étais petite, j'aimais bien la série *Martine*. J'avais toute la collection. À mon premier salon, après la sortie d'*À la di Stasio*, l'illustrateur de la série *Martine*, Marcel Marlier, était aussi en séance de signatures. J'ai pris *Martine fait ses courses* et je lui ai demandé bien humblement s'il pouvait le dédicacer.

— Je le garde et je vous le rapporte tantôt, m'a-t-il dit.

Quand j'ai ouvert l'album, j'ai vu qu'il y avait fait un dessin qui s'étendait sur deux pages. J'ai même pensé pendant une seconde que cela faisait partie du livre, avant de réaliser qu'il s'agissait en fait de sa dédicace, un superbe dessin de Martine. Wow ! Et là, je voulais lui remettre à mon tour un livre dédicacé et j'essayais juste d'être à la hauteur : mission impossible !

Michel Rabagliati

DÉGÂTS

À mes débuts, j'avais du temps pour signer. Je signais même à l'encre. J'avais mon godet, mon pinceau, ma bouteille. Je faisais un croquis, j'encrais puis j'effaçais le plomb.

Maintenant, je n'ai vraiment plus le temps de faire ça, il y a trop de monde. De toute façon, à bien y penser, ce n'était pas une bonne idée de dessiner à l'encre, surtout quand on renverse la bouteille sur la table !

Guillaume Vigneault

POUR ÉVITER LE NAUFRAGE

Lors de mes premiers salons, pour *Carnets de naufrage*, heureusement que je n'avais pas de iPhone, car j'aurais joué des heures à *Angry Birds* ! En séance de dédicaces, il faut être patient, s'apporter un livre ou un carnet de notes, sinon tu as l'air de mendier de l'attention. Alors que, si tu as un carnet, tu lèves les yeux de temps à autre et tu souris. Il n'y a pas de temps perdu.

J'y inscris des idées et des réflexions. Je fais ça aussi en voyage. J'observe et j'écris des choses tendres et cyniques sur les gens qui m'entourent. Jusqu'à ce que ces gens s'approchent de moi. Comme je veux donner quelque chose de vrai, je couche des lignes déjà élaborées avec des trucs interchangeables. Sinon, je m'en veux d'écrire des incohérences, un mot sans saveur ou, pire, de faire des erreurs de syntaxe. J'ai déjà interpellé quelqu'un qui repassait devant moi pour modifier ma dédicace. Une mauvaise dédicace, c'est comme un cancer, ça gruge !

Marie-Sissi Labrèche

MINIMOI

Au début, dans les salons du livre, je voulais absolument écrire un petit mot personnalisé pour tout le monde. Mais, en même temps, je ne voulais pas perdre ma queue, irriter la file de gens qui attendaient. Je ne voulais pas que quiconque s'en aille.

Je me suis finalement rendu compte que mon objectif était irréaliste. Je sortais de là épuisée, avec une tendinite, et pas loin du choc vagal. Maintenant, je fais des dessins, des minimoi.

Geneviève Jannelle

GENEVIÈVE AVEC UN G

Avant toute séance de signatures, je repasse ma liste d'amis Facebook pour me rappeler les noms de connaissances qui, elles, se souviennent de moi. Sinon, il m'arrive de lancer devant quelqu'un que je ne replace pas: « Ton prénom, tu l'écris de la façon classique ? »

OFFRANDES

Alexandre Jardin

TÉLÉCOPIEUR

La sonnerie de mon télécopieur a retenti : on m'invitait au Salon du livre de Rouyn-Noranda. Illico, j'ai répondu oui. Mais je n'avais pas la moindre idée d'où se trouvait Rouyn-Noranda sur la terre ! Sonnerie de nouveau :

« Pourquoi acceptez-vous ? »

Je renvoie de nouveau une télécopie.

« Pourquoi cette question ? »

« Parce que personne ne vient jamais à Rouyn. »

« Où êtes-vous sur le globe ? »

« Près de la baie James. »

« C'est beau, je viens. »

Une fois sur place, un homme m'a invité chez lui.

— Venez souper et on vous emmènera faire de la pêche sur glace.

Comme je ne connaissais personne, j'ai accepté. Et cet homme avait l'air adorable et bon.

Après une séance de dédicaces au Salon du livre, je me suis donc rendu comme prévu à l'adresse qu'il m'avait refilée. Mais une fois devant sa porte, c'est une dame qui a ouvert.

— Je viens voir monsieur. Où est-il ?

— Ah ! il ne viendra pas. Il m'a fait ce plaisir de vous inviter. Dans mon fantasme, je passe la soirée avec vous.

Sonné, apeuré, j'ai oublié l'élégance et je me suis sauvé. Oui, je suis parti !

Patrick Senécal

O POSITIF

Elle dépose à mes côtés un gros sac ligoté de chaînes ensanglantées.

— C'est pour vous ! lance cette inconditionnelle qui a traversé la place Bonaventure de Montréal pour m'en faire cadeau. Ouvrez-le chez vous. C'est un hommage à votre œuvre.

Je suis touché. Mais le cadeau est collant… Mon éditeur le trouve encombrant…

Au terme du Salon, je croise India Desjardins, tout heureuse :

— Regarde, j'ai reçu un toutou d'une lectrice.

Moi, un sac qui baigne dans l'hémoglobine ! En sa compagnie, je traverse la salle avec ma grosse poche. C'est lourd. Je traîne mon paquet. L'image est *trash* : on dirait que je m'en vais jeter un cadavre. Je détache alors les chaînes pour les lancer dans une poubelle. Je suis collé de sang.

Je déballe le colis dans la voiture. Il y a un coffre à l'intérieur, ensanglanté lui aussi et rempli d'enveloppes dans lesquelles se trouvent des extraits de mes livres pêle-mêle que je dois rassembler.

C'est du beau travail, probablement le cadeau le plus spectaculaire qu'on m'ait offert. Mais c'est aussi très bizarre ! J'ai pas mal tout vu dans ma vie d'auteur, par exemple des gens qui se présentent à moi déguisés comme les personnages de mes romans. Ça me plaît chaque fois. Ce serait ingrat de ne pas apprécier, car c'est une preuve d'amour et de fidélité sentie. Je suis chanceux qu'on y mette tant d'excès. Mais là, si cette lectrice voulait créer un climat d'étrangeté, elle a réussi !

Chrystine Brouillet

OUANANICHE

Quelques semaines avant de participer au Salon du livre de Saguenay, j'avais fait l'éloge à la télévision d'une recette de saumon boucané au beurre blanc et à l'érable de Marcel Bouchard, chef à l'Auberge des 21, à La Baie.

Une dame est venue me voir au Salon, en septembre.

— J'ai fait la recette dont vous parliez, mais la mienne est bien meilleure !

— Comment ça ?

— Parce que moi, je ne l'ai pas faite avec du saumon, mais avec de la ouananiche.

— Comment ça, vous avez de la ouananiche ? C'est rare ! On en trouve dans bien peu de lacs.

— J'ai un beau-frère qui... J'ai des contacts.

— C'est tellement drôle que vous me mentionniez cette recette-là parce que je vais souper chez des amis demain et c'est ce plat que je prépare. Mes amis en ont entendu parler et ils ont envie d'y goûter.

Et la dame est retournée chez elle, à Alma.

Mais le lendemain, voilà qu'elle a roulé de nouveau les cinquante kilomètres qui la séparait de Saguenay, qu'elle est revenue me voir et m'a tendu de la ouananiche qui reposait dans son congélateur.

— Quand même, ce serait bête de ne pas l'essayer ce soir avec de la ouananiche !

Le repas était très fin, délectable. On a pris un verre à sa santé !

Marie Laberge

LÀ-BAS

Les gens des régions éloignées sont les plus attentionnés. Ils sont infiniment contents de nous recevoir. En Acadie, par exemple, l'accueil est merveilleux. Les organisateurs des salons sont généreux de fruits de mer et de crabe. Si j'ai le malheur de dire : « J'aime le sucre à la crème », le lendemain, quelqu'un en aura fait pour moi !

Marie Hélène Poitras

MESSAGER DU PASSÉ

Lors d'un salon du livre, un jeune homme m'a un jour remis un cahier dont la lecture m'a jetée par terre. Les pages étaient noircies de choses me concernant! Pendant mes études à l'université, je m'entendais bien avec l'un des étudiants de ma classe. Et c'était platonique. Celui-ci avait demandé à son ami de m'apporter son cahier de notes. J'y ai appris que j'étais pour lui beaucoup plus qu'une amie à cette époque…

Claudia Larochelle

LA BISE

Il se prénommait Guy, et il était un adepte de l'émission télévisée *Lire*, que j'anime. Il est venu me voir à Trois-Rivières.

— J'aime tellement ton émission. C'est ma seule façon d'entendre parler littérature, car personne ne lit dans mon entourage.

Je l'ai regardé, pleine de gratitude. Mes joues sont devenues roses. Puis, il a ajouté :

— Tu donnes des livres aux invités de ton plateau. Je rêve que tu m'en offres un… Mais en attendant, en voici un.

C'était un vieil exemplaire de *Simone de Beauvoir et la liberté* de Georges Hourdin, aux éditions du Cerf. Il l'avait acheté dans une librairie de livres d'occasion. Comme il était très timide et hésitant, j'ai dû le convaincre de me le donner. Il a fini par s'exécuter. J'étais tellement contente, car le geste est beau. Conquise, je me suis levée et lui ai fait la bise. Ce sont alors ses joues à lui qui sont devenues rouges !

Martin Michaud

DANS SON CERVEAU

Un papier dépassait du livre et s'en est échappé. Le lecteur, qui était venu me voir avec à la main mon roman policier *Il ne faut pas parler dans l'ascenseur*, a repris le papier puis a ouvert le bouquin. J'y ai découvert en fait toute une liasse de feuilles. Sur ces feuilles, je voyais des milliers de mots d'une écriture très fine, très serrée, mais méthodique.

— Ce sont mes notes, m'a expliqué le lecteur après avoir constaté mon étonnement. Celles que j'ai prises tout le long de ma lecture.

J'étais assommé. Il avait rassemblé toute une liste de questions, d'observations sur le livre. En fait, il avait essayé de faire l'enquête au fil du roman, en établissant les parallèles, en notant les pistes.

— Vous m'avez vraiment surpris dans ce chapitre, vous m'avez amené dans une direction que je n'attendais pas, m'indiquait-il.

C'est devenu un lecteur fétiche. Chaque fois que je sors un nouveau roman, il est là. J'ai une relation privilégiée avec lui. Je garde précieusement ses notes. Il s'appelle Guy et il m'offre un instantané de ce qui se passe dans son cerveau quand il me lit.

Jean-François Nadeau

LES BŒUFS

J'étais à côté de Pierre Falardeau, qui signait dans un salon. Un homme est venu le voir pour l'encourager à poursuivre sa lutte pour l'indépendance.

— Monsieur Falardeau, il faut que vous continuiez, ce que vous faites est important. Les bœufs sont lents, mais la terre est patiente.

— Répète ça, a demandé Falardeau.

— Les bœufs sont lents, mais la terre est patiente.

— Je te le vole, ce sera le titre de mon prochain livre! a lancé Falardeau, qui tiendra parole.

Normand Lester

DE SOURCE SÛRE

J'ai déjà obtenu un *scoop* grâce à un salon du livre. Une femme est venue me voir à mon stand et m'a tendu une petite boîte. J'ai ouvert le mystérieux présent. À l'intérieur se trouvait une tasse du Service canadien du renseignement de sécurité (SCRS), l'agence des services secrets canadiens. Ce n'est pas n'importe qui qui peut avoir entre ses mains une tasse du SCRS ! Et la boîte cachait le numéro de téléphone de la dame.

Je suis entré en contact avec elle par la suite. Cette personne avait des informations et m'a dirigé vers une autre source. Cela m'a mené à un reportage d'enquête sur une taupe dans les rangs du SCRS !

Stéphane Dompierre

SCHNOUTTE DE SCHNOUTTE

Un gars débarque à mon stand et dit au jeune auteur que je suis alors: « J'aime tes livres », et il me tend son manuscrit. Je suis un pauvre être innocent qui n'a jamais été confronté à la chose. Je suis séduit, honoré, ému. Je prends son manuscrit comme un cadeau, je lui demande son adresse courriel et je promets de lui donner rapidement mon avis.

Une fois chez moi, je me mets gaiement à lire ce qu'il m'a remis, pour vite déchanter. C'est de la maaaaarde sur deux cents pages ! C'est comme si le gars n'avait lu qu'un livre dans sa vie, le mien, *Un petit pas pour l'homme*. Un gars qui se lève, qui ne veut pas aller travailler et qui boit son café le matin et de la bière l'après-midi. Puis, rien, pas de suspense.

Comment lui dire ce que je pense ? J'étais incapable de lui donner des conseils littéraires. N'est pas éditeur qui veut. J'ai eu le temps de me remettre en question:

« Non mais, est-ce que j'écris comme ça ? Est-ce que ça a l'air facile, écrire des romans ? »

J'ai finalement fait preuve de la plus grande délicatesse pour lui expliquer que j'étais un concurrent et non un éditeur et que ce n'était pas à moi qu'il fallait donner son manuscrit. Ne m'en apportez plus, s'il vous plaît !

VOYAGES DANS LE TEMPS

Kim Thúy

RACINES

J'étais à Paris et je rencontrais des lecteurs depuis au moins quatre heures, me faisant un devoir de leur livrer une dédicace personnalisée. Quatre heures, c'est au-delà des normes pour une seule séance de signatures. Mais je trouvais que ça n'avait aucun sens de partir.

Reste que c'était long. À un certain moment, j'avais tellement envie de faire pipi que j'avais l'impression que tout le monde était jaune !

Soudain, une femme d'une quarantaine d'années, blonde aux yeux bleus, qui avait lu *Ru*, est arrivée devant moi. Elle m'a dit qu'elle avait grandi au Vietnam, ce que son allure occidentale n'annonçait pourtant pas. Le Vietnam, mon pays d'origine. Elle m'a mentionné son année de naissance. La même que la mienne.

— Alors, on a vécu le même Vietnam, dis-je. Pourquoi étiez-vous là ?

— Mon père était médecin à Saïgon. Il travaillait à l'hôpital Grall.

— Je suis née là !

L'hôpital Grall est un hôpital français à Saïgon. Tous les enfants de ma famille y sont nés.

— Peut-être que c'est votre père qui a accouché ma mère, lui ai-je fait remarquer.

C'est à ce moment que la visiteuse est devenue beaucoup plus émotive. Elle avait perdu son père, ses souvenirs remontaient à la surface. Elle s'est approchée de moi, contournant la table de signatures. Je me suis approchée d'elle à mon tour. Et la lectrice m'a raconté son histoire.

Elle était partie du Vietnam à sept ans, dès la chute de Saïgon. Son père était mort beaucoup plus tard, mais regrettait amèrement de ne pas avoir revu le Vietnam. Elle, elle voulait y retourner, m'a-t-elle confié en pleurant, tellement émue qu'elle s'est affaissée sur les genoux. Si bien que moi aussi, je me suis penchée pour être à son niveau.

Un peu plus loin, mon attachée de presse a constaté que je n'étais plus assise derrière ma table. Affolée – elle était en droit de se demander si je n'avais pas perdu connaissance après quatre heures de signatures –, elle a accouru jusqu'à moi.

— Tu vas bien ?

Elle ne comprenait pas ce que je faisais presque pliée en deux sur le sol. J'étais simplement avec cette lectrice qui avait vécu le même Vietnam que moi. Dans l'émotion, nous avons partagé toutes sortes de petits souvenirs.

La rencontre m'a tant marquée que j'ai senti le besoin de l'immortaliser dans mon livre *Mãn*, quatre ans plus tard.

Guillaume Vigneault

AIR CONNU

— Ton père, mon cousin l'a rencontré au collège de Rimouski en 1942. Tu lui diras bonjour de Rénald !

Le Salon du livre avait lieu dans un gymnase de Trois-Pistoles. La moyenne d'âge était de quatre-vingt-huit ans. Tout le monde venait me voir pour que je transmette un message à mon père, Gilles Vigneault.

La première fois, j'étais gentil, courtois. La vingtième, non. Sur trente-deux visiteurs à mon stand, il y a eu trente salutations de la sorte.

Une dame est même venue se poster devant moi pour chanter *Mon pays* au complet, avec beaucoup de prestance, tel un *Ave Maria*. Dans un gymnase, ça résonne ! Les quatorze autres auteurs présents se sont tournés vers nous. « Je la connais, merci », ai-je conclu. Après, elle est restée sans bouger, puis a regardé mon livre comme si c'était un bricolage de macaronis, à l'endroit et à l'envers, en analysant la qualité du papier, et l'a déposé sans l'ouvrir. J'ai alors appelé mon éditeur et j'ai fait une crise de vedette. La seule de ma vie.

Marie-Claude Savard

ALBUM PHOTO

Mes parents sont morts à sept mois d'intervalle. Je raconte leur disparition dans *Orpheline.*

Comme moi, mon père était un enfant unique dont les parents étaient décédés en moins d'un an, alors qu'il n'avait que vingt-deux ans. Désormais seul, il était parti de Québec pour s'établir à Montréal, laissant derrière lui des cousins, oncles et tantes que je n'ai jamais connus. Jusqu'à une séance de dédicaces dans une librairie de la place Fleury, à Québec...

À mon arrivée à ma table, un groupe de gens attendaient en ligne.

— Mon Dieu qu'ils me ressemblent ! ai-je dit à mon éditrice. Ils sont tous petits, comme moi !

En effet, ils faisaient en moyenne cinq pieds et trois pouces. J'ai eu un drôle de pressentiment. Puis, l'un d'eux a déposé une boîte de photos devant moi.

— C'est pour toi. On ne savait pas comment te joindre. On n'osait pas...

Les bras m'en sont tombés. Des cousins, un vieil oncle, une grand-tante... En majorité des Savard. Ils étaient tous là. Certains avec leurs enfants. Ils étaient contents de faire ma connaissance. Joviaux, comme le sont les Savard. Le genre à jouer aux cartes jusqu'à trois heures du matin, sans perdre le sourire.

J'ai accepté le cadeau. On a fouillé dans la boîte tous ensemble.

— Regarde, c'est ici que ton père a grandi. Il faisait du ski là, sur cette butte.

Quel beau rassemblement pour un livre qui a comme titre... *Orpheline*! La boîte de photos n'est pas restée pleine. J'en ai fait encadrer certaines. J'en ai collé d'autres dans un album. Des preuves que j'ai une famille Savard.

Yves Beauchemin

DÉCOUVERTES DE JEUNESSE

J'ai passé mon enfance à Clova, un petit village de quarante familles, accessible uniquement par le train, et qui vivote aux frontières de l'inexistence encore aujourd'hui, quelque part entre Val-d'Or et La Tuque. Le village appartenait à la Canadian International Paper Company. Il n'y avait pas de maire, c'était administré par le gérant de la compagnie. Il y avait un curé, un petit hôpital… C'est là que j'ai vécu de l'âge de cinq à douze ans. Mes premiers souvenirs de la planète, c'est là que je les ai pris.

Lors de salons du livre, j'ai eu la chance de revoir ceux qui avaient fait partie de ma vie à Clova : mon copain de jeux Pierre et ses sœurs, dont Thérèse, la première femme que j'ai trouvée belle. Le cuisinier de la *cookerie* aussi, celui qui me donnait des biscuits – de toute façon, ses tiroirs en étaient pleins, il fallait bien nourrir les bûcherons !

Puis, au Salon du livre de l'Outaouais, il y a quelques années, j'ai vu apparaître une dame, une grand-maman avec sa petite-fille. J'ai fait tout un saut : c'était la première fille avec qui j'avais fait des études de physiologie humaine comparée ! On avait six ans. Je me mettais en pyjama pour que tout soit plus accessible. Et voilà que je la revoyais, avec un bond de deux générations.

Évidemment, on n'a pas parlé de ça. Mais ça me faisait rigoler d'y penser.

Marie Hélène Poitras

VISITE LIBRE

J'ai grandi à Aylmer jusqu'à l'âge de onze ans. En quittant la ville, je croyais que jamais je ne reverrais un jour la maison de mon enfance. Jusqu'à ce qu'on fasse de moi l'invitée d'honneur au Salon du livre de l'Outaouais, en 2013.

Un après-midi, un des organisateurs du Salon m'a demandé où j'habitais, jeune, sur quelle rue, à quelle adresse. Le hasard a voulu que ce soit son ex-femme et leur fille qui y résident aujourd'hui. En fait, ce sont eux qui y ont emménagé à mon départ.

À ma plus grande joie, la famille m'a invitée à visiter ma maison devenue la leur. Surprise ! Une fois à l'intérieur, elle m'a paru plus petite que dans mes souvenirs… J'ai même osé aller revoir ma chambre. Il y avait encore les tablettes que ma mère avait fait poser à l'époque pour y ranger mes livres.

Jean-François Nadeau

PERDUS ET RETROUVÉS

Pour rédiger mon livre sur le fasciste canadien Adrien Arcand, je ne pouvais compter que sur très peu de documents. Les gens de ce milieu, les militants dans l'action et dans l'instant, ne laissent pratiquement pas de traces écrites.

Puis, dans les salons, sont apparus des gens qui avaient tantôt une peinture d'Arcand, tantôt une lettre, une canne, un coffre... Si bien que la version anglaise de l'ouvrage, parue un an plus tard, a été bonifiée de quelques petits éléments glanés dans les salons du livre.

De la même façon, pour la biographie que j'ai consacrée à Pierre Bourgault, j'ai cherché désespérément une pièce de théâtre qu'il avait écrite. Je ne l'ai jamais trouvée. Il a suffi que le livre *Bourgault* paraisse pour que quelqu'un me dise :

— Moi, j'ai ça !

Marc Levy

LE NOM

J'étais en séance de signatures pour mon roman *Les Enfants de la liberté*, dans un salon quelque part en Provence. Le livre retrace le passé de jeunes membres de la Résistance française pendant la Seconde Guerre mondiale.

— C'est à quel nom ? ai-je demandé à un monsieur qui me tendait son exemplaire pour le faire dédicacer.

J'ai été soufflé par sa réponse : c'était l'un des personnages de mon roman, que j'avais tenté de retrouver, en vain. Ce fut ma première dédicace à l'un de mes personnages !

JARGON DE SALON À LA DOMPIERRE

Quand un visiteur dit : « Je vais faire le tour et je vais revenir », ce qu'il veut vraiment dire, c'est : « Je reviendrai pas. Je cherche le dernier *Twilight*. »

Quand un visiteur dit : « Oui, votre nom me dit quelque chose », ce qu'il veut vraiment dire, c'est : « Véronique Cloutier arrive à quelle heure ? »

Quand un employé du salon demande à un auteur : « Et puis, ça a bien été ? », ce qu'il veut vraiment dire, c'est : « Je suis ici tous les jours de neuf heures à vingt et une heures, j'ai faim, j'ai soif, j'ai mal partout, j'ai bu trop de café, j'ai les lèvres gercées, j'ai plus de voix à force de parler tout le temps et il y a juste mon faux sourire qui me relie encore au monde des vivants, mais sois assuré que, si tu te plains que c'est fatigant de dédicacer cinq livres en une heure, je vais rassembler ce qu'il me reste de force pour te sauter à la gorge et t'arracher la tête. »

LONGUEURS

Marie Laberge

LA JASETTE

C'était en 1982 à Montréal, pour *C'était avant la guerre à l'Anse-à-Gilles*. Mes éditeurs Victor-Lévy Beaulieu et Yves Thériault partaient souvent prendre un verre et me laissaient seule. C'était long !

Car jusqu'en 1987, soit jusqu'à la sortie de *Juillet*, mes salons ont été une grande leçon d'humilité. Je ne faisais rien d'autre que regarder Victor-Lévy signer. Je voyais le rapport s'établir entre l'auteur et les lecteurs. Victor-Lévy jasait et était très à l'aise avec les siens. C'est un jaseux, VLB !

C'est à ce moment que j'ai compris qu'on est là pour parler et non pour vendre des livres. Ça montre le respect qu'il faut avoir envers le lecteur. C'est d'ailleurs VLB qui m'a appris à signer. « Mets toujours la date, car, si tu meurs demain matin, ta dernière signature va valoir de l'or ! »

Carle Coppens

DÉSERTÉ

Le jeudi 20 mars 2003, j'avais une séance de dédicaces dans un Renaud-Bray du Carrefour Laval. Ma table se trouvait au deuxième étage de la librairie. Pour une fois, il y avait une grande affiche avec ma photo qui annonçait ma présence. C'était beau. J'étais heureux.

Mais le soir même, sous l'ordre du président George W. Bush, les États-Unis ont envahi l'Irak. C'était le début de l'opération Liberté irakienne, après qu'on a supposément eu confirmation de la présence d'armes de destruction massive au pays de Saddam Hussein. Combien étaient collés à leur téléviseur ? Quoi qu'il en soit, la librairie était vide.

Une seule cliente y a mis les pieds pendant l'heure où je m'y trouvais. Elle s'est approchée de ma table, m'a confondu avec un libraire et m'a demandé où était le dernier Marie Laberge.

Je me suis levé pour aller le lui dénicher.

Kathy Reichs

CHERCHEUSE D'INDICES

J'étais invitée à l'un de mes premiers salons du livre de Montréal, ville où je travaille ponctuellement pour le compte du Laboratoire de sciences judiciaires et de médecine légale. Et mon français était moins bon que celui d'aujourd'hui.

Malheur à moi, je devais participer à une table ronde et j'étais très nerveuse. Ce n'est pas que je craignais de ne pas m'exprimer correctement, mais je m'inquiétais plutôt de ne pas décoder les questions posées en français.

Mon éditrice chez Robert Laffont, qui publie mes livres en français, tentait de me rassurer en me disant que tout irait pour le mieux, que l'animateur parlerait lentement, pour que je le comprenne bien.

Nous étions cinq ou six auteurs à nous prêter au jeu. L'une des premières questions était pour moi. J'ai tendu l'oreille.

— Bzzzz, bzzz, bzzz, bzzz, bzzz.

C'est tout ce que j'entendais.

— Bzzzz, bzzz, bzzz, bzzz, bzzz.

Je peinais à comprendre le moindre mot, et ce n'était pas une question de langue. Les haut-parleurs étaient simplement mal positionnés et étaient tournés vers nous. Les propos de l'animateur étaient totalement incompréhensibles !

En sueur, j'ai regardé l'assistance et j'ai vu mon éditrice se lever d'un bond en se rendant compte que je ne saisissais pas.

Dans mon désarroi, je tentais de capter au moins un mot-clé, un indice. Tueur en série ? Oui, la personne a dit : « tueur en série » ! J'ai donc construit une réponse sur les tueurs en série. Et je n'ai eu d'autre choix que de répéter le même manège pour le reste de l'entrevue. C'était très déstabilisant !

La séance a duré une heure. Soixante minutes interminables.

Non, ça n'a pas été mon apparition publique préférée !

François Cardinal

SUR LE BANC

Pourquoi n'ai-je jamais pensé devenir biologiste ? Lors de la sortie de mon essai *Le Mythe du Québec vert*, je devais signer pendant une heure au Salon du livre de Montréal. Dix minutes après le début de mon « quart de travail », une file a commencé à se former à un mètre de moi.

— Que faites-vous là ? ai-je demandé à la première personne.

— On vient rencontrer Jean Lemire !

Le temps allait visiblement s'écouler lentement autant pour eux que pour moi... Comme ils n'avaient rien d'autre à faire qu'attendre le célèbre biologiste, ils me regardaient. Comme je n'avais rien d'autre à faire qu'attendre que mon heure passe, je les regardais.

Le terme « malaisant » n'est pas français, mais je n'ai eu que ce mot en tête pendant cinquante minutes. Pen...dant... cin...quan...te... mi... nu... tes... Pendant que je réchauffais en quelque sorte le banc de Jean Lemire, comme ces doublures dans les galas télévisés américains qui prennent la place d'une *star* momentanément absente de son siège !

Matthieu Simard

SANS AIDE

Une heure peut durer bien plus de soixante minutes !

Un jeudi soir, au Salon du livre de Montréal – c'est la soirée des cocktails –, une fille soûle, qui ne me connaissait pas et qui ne voulait pas vraiment me connaître, m'a parlé de toute autre chose que de mes livres ou d'écriture. Elle me parlait de ses affaires à elle. Ça se prolongeait. J'espérais que quelqu'un de ma maison d'édition vienne me sauver, mais tout le monde a pensé que c'était une amie.

Elle a passé une heure à mon stand. Une très longue heure.

Jean Barbe

AU VOLEUR !

Grâce à *Comment devenir un monstre*, j'ai reçu le Prix des libraires. Le soir de l'annonce, j'étais en état de choc. C'était la première fois que je gagnais quelque chose !

Dans mon discours, lors de la remise du prix, j'ai raconté une anecdote de jeunesse : « Je remercie la première librairie que j'ai fréquentée, à Laval, où j'ai un jour volé un livre. Le propriétaire m'a rapidement rattrapé et il m'a chicané, car j'avais chipé un "mauvais livre". Il m'en a alors suggéré un autre… qu'il m'a fait payer. J'ai depuis beaucoup de respect pour les livres et les libraires. »

Toujours est-il qu'un tel honneur comprend une tournée des librairies de différentes régions, durant laquelle j'ai vécu le plus beau et le plus humiliant. J'ai vite appris que ce n'est pas parce que tu gagnes un prix que tu es connu. Dans une librairie de Val-d'Or, on a organisé un charmant cocktail pour souligner ma présence. Mais dans une autre, en Beauce, située dans un centre commercial, on m'a installé à une table devant les portes du magasin. J'accueillais littéralement les clients. Je me sentais comme de la mousse de nombril: i-nu-ti-le. Quelqu'un, quelque part, m'a fait payer mon larcin de jeunesse!

SUR LA ROUTE

Tristan Demers

COURSE DESTINATION TROUBLE

En novembre 2001, soit huit semaines après les attentats du 11 septembre aux États-Unis, j'ai été invité au festival Coco bulles de Grand-Bassam, en Côte-d'Ivoire. J'avais reçu de Diane Lemieux, alors ministre de la Culture et des Communications, une subvention de huit cents dollars qui me permettait d'acheter un billet d'avion avec la compagnie belge Sabena.

Je n'ai vendu aucun livre pendant mon séjour, mais j'ai vécu une belle expérience puisque je représentais le Canada: j'ai mangé avec le ministre de la Culture du pays, j'ai visité un orphelinat et j'ai dessiné avec les enfants là-bas. Mais, lentement, les embrouilles sont arrivées.

Je suis parti une journée dans le nord du pays faire un safari-photo… avec un appareil jetable, à bord d'un taxi. J'avais oublié mon passeport dans ma chambre d'hôtel et j'ai dû faire des dessins sous les yeux des policiers pour leur prouver que j'étais bel et bien un bédéiste invité à Grand-Bassam. Vive le pouvoir de séduction du crayon!

Juste après, il m'a pris l'idée de faire de la pirogue. J'ai chaviré et mon appareil photo est tombé à l'eau. Le faire sécher au soleil n'a pas sauvé mes clichés. Il ne me reste qu'une preuve de ce voyage, floue, grise. Il n'y a que moi qui sais que c'est un rhinocéros qui pose devant mon objectif!

Le lendemain, le correspondant de Radio-Canada en Afrique a fait une entrevue de vingt minutes avec moi. J'en ai profité pour dire que j'étais allé visiter la salle de rédaction d'une bande dessinée, j'ai raconté les échanges entre confrères bédéistes, mon plaisir de découvrir la bande dessinée engagée… Mais le seul extrait retenu du reportage qui allait être diffusé à Info-Culture reste: « Eille, c'est pas pareil, ici! Y ont pas d'ordinateur et y ont des tables en bois. »

Pour en rajouter, pendant mon séjour, Sabena a déclaré faillite. Les compagnies aériennes s'évanouissaient les unes après les autres. Je suis rapidement parti pour l'aéroport d'Abidjan: le comptoir de la compagnie n'existait plus. Il ne restait en filigrane que les lettres Sabena qu'on avait décollées. Mon malheur, c'est qu'à la fin du festival mon séjour à l'hôtel n'était plus commandité. Et ma carte de crédit ne fonctionnait pas! Tout le monde se ruait sur le vol d'Air France à mille huit cents dollars.

J'ai communiqué avec l'ambassade du Canada. « Pas de problème, monsieur Demers, comptez sur le Canada pour vous sortir de là. » L'ambassade a téléphoné au grand patron des éditions Hurtubise, qui m'a envoyé un courriel pour me suggérer de l'appeler à frais virés. « On travaille avec un distributeur là-bas, Dramane. Demande-lui qu'il te prête mille huit cents dollars comptant et tu me rembourseras à ton retour. »

Je ne pouvais pas croire que je devais cogner à une hutte pour demander mille huit cents dollars à une famille qui avait peu de moyens, alors que la seule fois où j'avais eu l'impression d'avoir servi l'Afrique, c'est quand j'avais acheté le quarante-cinq tours de *We Are the World*…

J'ai suivi le distributeur à son bureau, il a ouvert un coffre-fort et m'a donné une liasse de billets. Le vol, prévu le mercredi suivant, comprenait une correspondance de onze heures à l'aéroport Charles-de-Gaulle à Paris, que j'ai passées en short, en sandales et avec un djembé, en plein mois de novembre ! Vive le Québécois libre !

Éric-Emmanuel Schmitt

LA BOMBE

À peine descendu de l'avion à Paris, j'avais enfourché une moto pour arriver au Salon du livre le plus rapidement possible. Mon téléphone a alors sonné.

— Il y a une file depuis deux heures déjà, m'annonce-t-on.

— J'arrive !

Je roulais à toute vitesse et j'ai enfin aperçu l'édifice qui abritait le Salon. Puis, tout à coup, la bâtisse s'est déversée sur moi. Alerte à la bombe !

C'était l'évacuation. Une masse de monde quittait les lieux. Dans le stationnement, des lecteurs me croisaient et me reconnaissaient.

— Ah, vous êtes là !

J'ai fait ma séance de signatures dans le stationnement, pendant que tout le monde, moi y compris, se demandait si on était assez éloignés de l'édifice, si jamais ça sautait.

Micheline Duff

ACCOMPAGNÉE

En Abitibi, un monsieur est venu me voir.

— Vous avez conduit jusqu'ici toute seule ? C'est loin, vous ne trouvez pas ça difficile ?

— Ben non, je n'étais pas toute seule, Beethoven m'a accompagnée.

— Vous avez emmené votre chien ?

Kathy Reichs

LARCIN

Chaque année se tient le National Book Festival à Washington, au cours duquel une cinquantaine d'auteurs sont invités à la Maison-Blanche pour un souper, puis pour un déjeuner le lendemain.

En 2006, j'étais du nombre et j'étais même l'un des deux écrivains à prendre la parole lors du déjeuner, auquel prenait part la première dame, Laura Bush.

J'ai essayé de garder mon propos assez léger : j'ai parlé de mes études à Washington (American University), du premier squelette que j'ai manipulé... et j'ai suggéré à tout le monde de dérober l'une des magnifiques serviettes à main portant les inscriptions de la Maison-Blanche !

Claudia Larochelle

LES PASSAGERS

En route vers Gatineau, c'est la tempête. J'angoisse. Il neige. La chaussée est glissante. Et India Desjardins occupe le siège du passager.

Je pense à toute la responsabilité qui pèse sur mes épaules : je véhicule la reine des auteurs jeunesse du Québec ! Il ne doit rien lui arriver. Imaginez le nombre d'adolescentes attristées et fâchées contre moi si on a un accident, qu'on se retrouve dans un fossé, qu'on n'arrive pas à bon port !

Mais c'est finalement le retour du salon, le dimanche après-midi, qui est digne de mention. Patrick Senécal s'ajoute au groupe. On part, mais, à l'intersection de deux rues très passantes, ma voiture tombe en panne. Plus d'essence ! Patrick sort pousser l'auto et passe à deux doigts de se faire frapper.

Le CAA n'arrive que quarante-cinq minutes plus tard pour nous apporter de l'essence. On met ensuite vingt minutes pour trouver une station afin de faire le plein. Puis, une fois en route, Patrick s'écrie : « Merde, je pense que j'ai oublié mon ordinateur portable dans le hall de l'hôtel ! » Juré, craché.

Le retour à Montréal a pris quatre heures et nous n'étions qu'en Outaouais !

Dominique Demers

CRUISE SANS CONTRÔLE

L'avion se dirigeait vers Guadalajara au Mexique. J'étais assise entre les caricaturistes Garnotte et Serge Chapleau. Malheureusement pour eux, je n'étais pas à mon mieux. En fait, j'avais un malaise depuis quelques semaines déjà, mais mon entourage s'entendait pour dire que c'était parce que je travaillais trop.

En sortant de l'avion, une fois au Mexique, je me suis évanouie dans les bras de mes deux caricaturistes. On m'a transportée à l'hôpital, où je suis restée pendant une semaine. Diagnostic ? Une pyélonéphrite, madame ! Quoi ? Une infection des reins. C'était viral et dangereux. Latent depuis longtemps. À l'eau, mon salon du livre !

À l'hôpital, c'est un urologue macho qui me traitait et m'administrait les antibiotiques par intraveineuse. Je tremblais chaque fois qu'il venait me voir : « Madame, quand vous serez guérie, jurez-moi que vous sortirez avec moi… Madame, acceptez-vous de m'accompagner au resto une fois sur pied ? »

J'étais faible, loin de chez moi, et je le craignais. Les médecins au Québec ne se permettraient jamais une telle chose ! Devais-je dire oui pour qu'il me prenne sous son aile ? Si je refusais, est-ce qu'il cesserait les traitements ? Blaguait-il ?

C'est lui qui devait aussi me donner mon OK pour reprendre l'avion vers Montréal. J'ai finalement eu mon congé de l'hôpital, sans avoir à répondre à ses avances.

C'était il y a neuf ans. J'en ris aujourd'hui, mais j'étais traumatisée à l'époque.

Louise Portal

ROMANESQUE

Au début des années 1980, j'avais trente ans, je jouais, je chantais et j'écrivais. Lors d'un salon du livre québécois, un bel homme, cheveux gris, début soixantaine, s'est présenté à mon stand. C'était Maurice Herzog, homme politique français et, surtout, figure majeure de l'alpinisme, membre de la première expédition à gravir un sommet de plus de huit mille mètres, l'Annapurna, en 1950. Il était venu au Québec pour présenter le récit de cette grande aventure, qui lui avait coûté les doigts et les orteils, mais avait fait de lui un héros national.

Il m'a donc abordée, sans doute plus séduit par moi que par mon livre. Quand même, nous avons eu une très bonne conversation. Et il a acheté mon livre, non sans me faire promettre de l'appeler quand je passerais par Paris.

Quelques mois plus tard, me voilà dans la capitale française pour faire la première partie du spectacle de Maxime Le Forestier, au Bobino. Comme convenu, j'ai téléphoné à monsieur Herzog et il m'a emmenée manger dans un grand restaurant. Il est devenu personnel, il m'a parlé de sa vie et d'une folle histoire d'amour qu'il avait eue, un amour impossible. J'étais devenue sa confidente. Il m'a fait la cour, mais de façon très respectueuse. Et j'ai trouvé ça vraiment romanesque !

Marie Hélène Poitras

AU LOUP !

Je n'avais que vingt-quatre heures pour séjourner à La Sarre, où j'avais été nommée pour le Prix des lecteurs émergents de l'Abitibi-Témiscamingue. En chemin, de l'aéroport de Rouyn-Noranda à La Sarre, un trajet de quatre-vingt-dix minutes, une roue de l'auto a déboulonné. On l'a vue, égarée, dépasser notre véhicule.

Georges-Hébert Germain, qui était assis à mes côtés, est sorti pour courir après celle-ci jusque dans un fossé. Pas de chance, impossible de l'installer nous-mêmes. Il a fallu marcher jusqu'à un dépanneur tout près et attendre qu'une autre voiture vienne nous chercher.

Mais tant qu'à être dans un dépanneur abitibien, aussi bien profiter de notre visite ! Avec Sophie Bienvenu, l'autre auteure qui m'accompagnait, j'ai eu le temps de m'extasier devant les chandails de loup exposés près de la caisse.

L'attente a duré une heure et demie et je suis arrivée… après la cérémonie. Comme souvenir, j'ai au moins une photo de moi avec la roue. Mais pas de chandail de loup.

DE VIE À TRÉPAS

Pauline Gill

LE CONDAMNÉ

Ce monsieur avec une canne, un beau sourire aux lèvres, se tenait en retrait. Taciturne.

— Monsieur, est-ce que vous m'attendez ?

— Je veux simplement vous parler quand vous aurez fini votre séance de signatures. Je vais patienter.

Ça m'inquiétait. De quoi voulait-il me parler ? Pourquoi ne voulait-il pas être entendu par d'autres ? Il est resté debout pendant quatre-vingt-dix minutes. Au moment de partir, je lui ai dit :

— Monsieur, je m'en vais dans deux minutes.

— J'attendais à la fin, car je suis à la fin de tout.

J'étais à la fois intriguée et surprise. Il me semblait l'avoir déjà vu, mais je ne pouvais le replacer. Probablement parce qu'il était très amaigri.

— Je suis souvent venu au Salon du livre de Québec prendre des photos, pour un journal, entre autres. Et aujourd'hui, c'est la dernière fois qu'on se voit. J'ai une maladie dégénérative. Il me reste deux mois à vivre. À la prochaine étape, c'est mon cerveau qui sera atteint.

C'est terrible, car jusqu'ici j'assume mon déclin, mais bientôt je ne comprendrai plus ce qui m'arrive…

Il n'y avait pas de tristesse très sentie dans sa voix. Plutôt un mélange de mélancolie et de lucidité.

— J'aimerais que vous me fassiez une grande accolade.

Sans poser de questions, je l'ai serré dans mes bras. La force lui faisait défaut, mais je sentais qu'il voulait que ça dure.

— Ce n'est pas l'accolade de la mort, mais celle d'une autre vie. On se reverra.

Puis, il est parti sans se retourner.

Alexandre Jardin

POST-MORTEM

— Vous pouvez signer mon exemplaire de *Des gens très bien* au nom de ma grand-mère, une juive et survivante de l'Holocauste ? Toute sa vie, elle a dit que, si les gens lui demandaient pardon, ça l'aiderait à vieillir.

— Quel âge a-t-elle ?

— Elle est morte.

— D'habitude, je signe des livres pour des personnes vivantes.

— Votre livre sera déposé sur sa tombe.

Anne Robillard

AVANT LA FIN

— Mon mari n'a pas été capable de finir votre roman. Il est mort avant la fin. On a mis ses lunettes dans la poche de sa chemise et on a placé votre livre dans son cercueil.

Kim Thúy

LECTURES

Une dame m'a déjà raconté que son mari et elle se lisaient des livres de temps à autre. La dame devait subir une greffe du cœur, une opération risquée. Elle avait demandé à son mari de lui lire *Ru* pour une deuxième fois parce que, si ce devait être le dernier livre qu'il lui lisait, au moins ce serait précisément celui-là.

Gilles Tibo

DERNIÈRES VOLONTÉS

Au Salon du livre de Sherbrooke, une femme est arrivée avec ses deux enfants et m'a dit que je ne pouvais pas savoir à quel point la série *Noémie* était importante pour eux. Son père lisait des *Noémie* à ses petits-enfants. Il est décédé, mais sur son lit de mort il a demandé à ce qu'on continue à lire mes livres à ses petits-enfants. C'est ce qu'elle fait depuis.

Éric-Emmanuel Schmitt

LES RISQUES DU MÉTIER

J'ai failli laisser ma peau à Beyrouth, au Liban. J'étais derrière une immense table, et les lecteurs se sont approchés en masse. Il n'y avait pas de cordon de sécurité pour les guider. Ces centaines de lecteurs qui convergeaient vers moi exerçaient, sans le savoir, une pression faible mais constante sur la table qui me séparait d'eux. Si bien qu'au bout d'un moment je me suis rendu compte que j'étouffais, que la table m'écrasait contre le mur et que j'avais le sternum presque fendu à cause de la pression.

ROCK STARS

Georges-Hébert Germain

BIG

Avec René Angélil, c'était *big*, car il voulait que la biographie sur Céline Dion soit un événement. « Veux-tu que je négocie tes droits d'auteur ? », m'a-t-il demandé. Pourquoi pas ! Je n'avais aucune idée de ce que j'allais percevoir comme redevances.

Grâce à lui, j'ai obtenu le double de ce qu'on accorde habituellement aux auteurs, soit un peu plus de vingt pour cent sur les ventes. C'était inespéré. Je l'entendais parler au téléphone avec la maison d'édition. « On veut trente mille dollars pour la recherche, car Georges-Hébert va avoir besoin de billets d'avion. »

J'ai tout eu ! Mais quand est venu le temps de mener mes recherches, je me déplaçais toujours dans l'avion de Céline et René. Donc, les trente mille dollars, je les ai encore !

Michel Rabagliati

BEATLEMANIA

Je me suis un jour senti comme un Beatle. Soit lors d'un salon, lorsqu'une fille est venue me voir en larmes. Elle était tellement contente de me rencontrer. Elle avait lu tous mes livres ! Pour elle, c'était un événement. Vraiment. Je ne savais plus où me mettre. Elle était trop émue. Et je ne lui ai pas beaucoup parlé parce que ça la troublait encore davantage.

Puis, j'ai compris que je réagirais de la même façon si je rencontrais Richard Desjardins, car son œuvre me chavire le cœur.

Bryan Perro

L'ARÉNA

La série *Amos Daragon* connaissait un énorme succès. J'avais quelques minutes de retard pour ma séance de signatures. Pas grand-chose, peut-être cinq ou sept minutes. En entrant dans l'endroit où avait lieu le salon, j'entendais crier : « Bryan ! Bryan ! Bryan ! » Comme c'était dans un aréna, il y avait de l'écho et mon prénom rebondissait partout. J'ai découvert à mon kiosque une centaine d'enfants qui m'attendaient !

C'était un moment hallucinant. Et ça se passait à… Amos.

André Cédilot

SYNCHRONISME

Le hasard fait bien les choses.

André Noël et moi planchions depuis au moins quatre ans sur *Mafia inc.*, qui raconte l'histoire de la mafia sicilienne à Montréal. Quand nous avons commencé à travailler sur le livre, le Québec n'était pas tellement attentif aux questions de crime organisé, de mafia et de collusion. Ce n'était pas le Québec de la commission Charbonneau ! C'est justement pour éveiller les consciences et pour sonner l'alerte que nous nous sommes mis à l'ouvrage.

Pourtant, quatre ans plus tard, en novembre 2010, il y avait foule à notre kiosque au Salon du livre de Montréal, un mois après la sortie du bouquin. Il fallait des cordons de sécurité pour gérer les files de monde.

Certes, la mafia fascine depuis longtemps, les nombreux livres et films à son sujet le prouvent. Mais un tel engouement, vraiment ?

C'est qu'au moment de la publication, en octobre 2010, les journalistes de différents médias avaient commencé à déterrer les scandales de collusion dans l'industrie de la construction et à dessiner quelques contours de l'implication du crime organisé dans l'économie légitime. L'ouvrage venait cristalliser ce que les journalistes sortaient au jour le jour. Les citoyens passaient en mode écoute.

En plus, la mafia a contribué malgré elle à notre campagne marketing. Le 10 novembre 2010, Nicolo, le patriarche de la famille Rizzuto et père du parrain allégué de la mafia montréalaise, a été assassiné dans sa maison par un tireur embusqué. C'était quelques semaines à peine après la sortie de *Mafia inc.* et neuf jours avant l'ouverture du Salon du livre de Montréal !

Alain Farah

CHIANT !

On ne me demandera jamais d'être porte-parole de Home Depot.

Après la parution de *Matamore n° 29*, je me suis retrouvé dans un magasin de Sainte-Foy avec un ami qui venait de s'acheter une nouvelle maison. On était en mission pour trouver notre marchandise, on gossait tout le monde, on posait plus de questions qu'il n'en fallait, on a fait participer tous le personnel pendant quarante minutes à coups de phrases du genre : « Nous ne pouvons pas aller de l'avant sans ça. » On s'emballait, on jouait le jeu à fond, on niaisait les employés. On était loin d'être des clients modèles, discrets.

Puis, on est arrivé à la caisse. La caissière m'a demandé si, pour une œuvre de bienfaisance, je voulais acheter des marteaux sur lesquels je devais écrire mon nom. Au moment où j'apposais ma signature, la caissière a lancé : « Ah ! je savais que c'était vous, Alain Farah ! » Je suis aussitôt devenu blanc, puis vert, puis piteux et muet. Incapable de rouvrir la bouche. C'était la première fois que ça m'arrivait, qu'on me reconnaissait. Mais ce n'était ni le bon moment ni le bon endroit.

Paul Ohl

À LA BONNE PLACE

Au tournant des années 1990, le talk-show de Jean-Pierre Coallier, *Ad Lib*, était le meilleur endroit pour se faire voir et se faire connaître. Quand j'y ai été invité à la sortie d'un de mes romans, je suis passé en même temps que Morris, le dessinateur de *Lucky Luke*. Sur le plan du marketing, je venais de *scorer* ! Je suis arrivé auréolé au Salon du livre.

Anne Robillard

L'ARMURE

Avant que la série *Les Chevaliers d'Émeraude* ne connaisse le succès, il me fallait trouver un moyen de me distinguer et de me faire remarquer des lecteurs dans les salons. J'ai donc décidé de me faire fabriquer une armure inspirée de mes personnages et de la porter pendant tout le salon qui, faut-il le rappeler, peut durer cinq jours.

— Tu sens le char neuf, me lançaient des collègues, à cause du cuir de mon costume.

La cuirasse était chaude, et lourde aussi, à un point tel que j'en avais des bleus sur les épaules !

Mais ça a fonctionné. Les lecteurs s'arrêtaient, me demandaient de quoi il s'agissait, s'intéressaient à mes livres. Et à partir du quatrième tome, la série a vraiment fait fureur. Si bien que j'ai pu me passer de mon armure. Mais j'ai trouvé quelqu'un d'autre pour la porter à ma place. Et l'idée a fait boule de neige.

Je me suis alors concocté une véritable troupe déguisée, qui a compté jusqu'à quarante personnes à son apogée, autour de 2005.

Les gens font parfois la file pendant deux heures pour obtenir une signature. Leur bonne humeur avait souvent disparu quand ils parvenaient jusqu'à moi. Maintenant, grâce à la troupe, les lecteurs jasent avec les personnages, prennent des photos et arrivent heureux devant moi.

Philippe Meilleur

AU MICRO

Je vivais mon premier Salon du livre de Montréal après avoir publié la biographie d'André « Dédé » Fortin, *L'Homme qui brillait comme une comète.* J'avais été invité pour une entrevue radio avec l'animatrice Monique Giroux, spécialiste de la chanson francophone. L'entretien devait durer une dizaine de minutes. Elle et moi pour parler de la musique de Dédé, ça ne pouvait que bien se dérouler...

Mais quand je me suis présenté à l'endroit convenu, j'ai vu Michel Rivard en train de chanter sur une scène. Après sa prestation, j'ai réalisé que c'était à mon tour de monter... devant plusieurs dizaines de personnes dans la salle. J'avais une bonne raison d'être étonné : je n'avais aucune idée que la rencontre devait avoir lieu devant le public. Intimidé, j'ai bafouillé ma première réponse, et il a fallu que Monique Giroux me tire d'affaire. Après que je me suis ressaisi, l'entrevue s'est mieux déroulée. Jusqu'à en émouvoir l'animatrice, qui avait bien connu Dédé.

Bruno Blanchet

LE RETOUR

Je venais d'arriver à Montréal après cinq ans de cavale. Dans mon lit, je jonglais. Je n'avais aucune idée de ce qui m'attendait. Qui étais-je, ici et maintenant, en 2009, pour les Québécois ? Peu enclin à user des médias sociaux, je ne savais pas si, depuis cinq ans, quelqu'un avait pris le temps de me lire, de suivre mes aventures ou de s'intéresser à savoir si j'étais toujours vivant…

Un an plus tôt, en Indonésie, quand l'éditrice Jacinthe Laporte m'avait suggéré de réunir dans un livre mes textes parus dans *La Presse*, je ne comprenais pas le pourquoi du comment. On m'avait lu une fois, n'était-ce pas suffisant ? Pour quelle raison voudrait-on me relire ?

Jour J. Première apparition au Salon du livre de Montréal. Je suis nerveux. Et s'il n'y avait personne ? J'avais vu le livre pour la première fois la veille, il était beau, différent, et j'en étais fier.

J'entre au Salon. Immédiatement, je suis perdu… Je demande à un gardien, qui, à ma grande surprise, me reconnaît, où se trouve le kiosque A6. Enthousiaste, il m'indique le trajet et il me souhaite : « Bonne chance, monsieur Blanchet ! », avec un clin d'œil complice.

Je tourne à droite, puis à gauche, et je tombe sur une très longue file. Une file qui semble sans fin. En voulant esquiver le groupe, j'aperçois mon livre dans les mains d'un des patients lecteurs à la queue… Super, mon premier lecteur ! Je m'arrête.

— Bonjour ! Vous avez acheté mon livre, merci !

— Oui, et je suis pas le seul, ça a l'air ! qu'il me répond, découragé, en me pointant les centaines de personnes devant lui.

Mes genoux ont flanché. J'ai eu les yeux pleins d'eau. Je me suis remis à marcher, ébranlé, en direction du kiosque. On ne m'avait pas oublié ! On me lisait… et on m'aimait ! Dans la file, on s'exclamait :

— Bruno est là, Bruno est là, Bruno est là !

Et mus par la rumeur, les lecteurs se retournaient tous les uns après les autres pour m'accueillir. Moi, Bruno Blanchet, le ti-cul de Rosemont, le numéro 24 de l'équipe pee-wee AA de Fabreville, qui flottait, porté par les « Bonjour, monsieur Blanchet ! », les « Bienvenue à la maison ! », les « Quand est-ce que tu reviens ? On s'ennuie ! » et les « On t'aime, Bruno ! » C'était comme… dans les vues. J'étais le personnage de Robin Williams quand il croit qu'il a tout perdu, à la fin du film, mais qu'il se fait applaudir, d'abord par une personne, puis par toute la salle, vous savez, comme dans le film du poète, euh, et le film du docteur, et le film du prof, et euh, dans pas mal tous ses films, finalement.

J'ai fini de signer des livres à minuit ce soir-là parce que j'avais refusé d'arrêter avant d'avoir serré la pince au dernier de la ligne. Au grand dam des gardiens de sécurité, qui en ont profité pour faire dédicacer les leurs avant de me virer.

LES AUTEURS INTERVIEWÉS

Avant d'animer *Le Sexe selon les sexes*, **Caroline Allard** a écrit *Les Chroniques d'une mère indigne* (Hamac), devenues une populaire série Web, et *Pour en finir avec le sexe*. En 2014, elle publie *La Reine Et-Que-Ça-Saute* (Fonfon).

Le journaliste, animateur (*Tout le monde tout lu* à MAtv), éditeur et romancier **Jean Barbe** a publié le *best-seller* auréolé *Comment devenir un monstre*, suivi de *Comment devenir un ange*. Son dernier ouvrage est baptisé *Le Travail de l'huître* (Leméac/Actes Sud).

Yves Beauchemin a publié une dizaine de romans, dont le célèbre *Matou* (Québec Amérique). Son plus récent livre, *La Serveuse du Café Cherrier* (Éditions Michel Brûlé) est paru en 2011. Il a aussi écrit quatre romans jeunesse.

Membre du groupe hip-hop Loco Locass, **Biz** a créé deux ouvrages pour les adultes (*Dérives* et *Mort-Terrain*) et un pour les adolescents (*La Chute de Sparte*), tous chez Leméac.

Chroniqueur et animateur globe-trotter, **Bruno Blanchet** a séduit bien des lecteurs en couchant sur papier ses péripéties de voyage, d'abord dans le quotidien *La Presse*, puis dans ses bouquins *La Frousse autour du monde* (Éditions La Presse).

Simon Boulerice est dramaturge et romancier, consacré notamment grâce à *Jeanne Moreau a le sourire à l'envers* (Leméac), *Martine à la plage* (La courte échelle) et *Edgar Paillettes* (Québec Amérique). Il lance *Le Premier qui rira* (Leméac) à l'automne 2014.

Dramaturge, auteure jeunesse et essayiste, **Fanny Britt** a récemment offert *Jane, le renard et moi* (La Pastèque), *Bienveillance* (Leméac) et *Les Tranchées* (Atelier 10).

Écrivaine qui a trouvé son lectorat tant chez les jeunes (une douzaine de romans jeunesse) que chez les plus vieux (les romans policiers mettant en scène Maud Graham), **Chrystine Brouillet** a publié son plus récent opus, *Saccages* (La courte échelle), en 2013.

Chroniqueur à *La Presse* et essayiste, **François Cardinal** a écrit *Le Mythe du Québec vert* (Voix parallèles) et *Perdus sans la nature* (Québec Amérique) et a chapeauté le collectif *Rêver Montréal: 101 idées pour relancer la métropole* (Éditions La Presse).

Journaliste, biographe, romancier et conseiller littéraire, **Pierre Cayouette** a entre autres publié la biographie *Robert Piché aux commandes du destin*

(Libre Expression). En 2014, il a coécrit un livre sur les dessous de l'émission *Enquête* (Québec Amérique).

Journaliste retraité à *La Presse*, spécialisé dans la couverture des affaires criminelles et du monde interlope, **André Cédilot** a écrit avec André Noël le livre *Mafia inc. : Grandeur et misère du clan sicilien au Québec* (Éditions de l'Homme).

Caricaturiste à *La Presse*, **Serge Chapleau** propose chaque année un recueil de ses meilleurs dessins: *L'Année Chapleau* (auparavant chez Boréal, en 2014 aux Éditions La Presse).

Publicitaire, poète et romancier, **Carle Coppens** est l'auteur du *Grand livre des entorses*, de *Poèmes contre la montre* (Noroît) et de *Baldam l'improbable* (Le Quartanier), qui sera adapté sous peu au grand écran.

Dominique Demers a des dizaines de romans pour petits et grands dans son baluchon, dont les séries *Alexis* et *Mademoiselle Charlotte*, mais aussi les romans *Marie-Tempête*, *Maïna* et *Pour que tienne la terre* (tous chez Québec Amérique). À l'automne 2014, elle livre un récit personnel dans *Chronique d'un cancer ordinaire – Ma vie avec Igor* (Québec Amérique).

Géniteur de la série *Gargouille*, **Tristan Demers** est bédéiste et scénariste depuis l'âge de dix ans. En 2013, il a publié *Les Enfants de la bulle: Rencontres avec des amoureux de la bande dessinée* (Hurtubise) et en 2014, *Sale canal* (VLB).

Mère biologique de la série jeunesse *Le Journal d'Aurélie Laflamme*, **India Desjardins** a aussi donné naissance à des histoires telles que *La Célibataire I* et *II*

(Michel Lafon), *Le Journal intime de Marie-Cool* (Trécarré) et *Le Noël de Marguerite* (La Pastèque).

Alexandra Diaz est animatrice de télé (*Cuisine futée, parents pressés*). En 2013, elle a signé avec Geneviève O'Gleman le succès de librairie *Famille futée : 75 recettes santé à moins de 5 $ par portion* (Éditions La Semaine).

Nicolas Dickner a été révélé grâce à son roman *Nikolski* en 2005. Il a ensuite pondu *Tarmac* de même que le recueil de chroniques *Le Romancier portatif* (tous chez Alto). En 2014, il propose *Révolutions*, de concert avec Dominique Fortier.

Animatrice de télé (*À la di Stasio*), **Josée di Stasio** a fait paraître quatre livres de cuisine, le plus récent étant *Le Carnet rouge* (Flammarion Québec).

Depuis la sortie de son livre à succès *Un petit pas pour l'homme*, l'écrivain, scénariste et chroniqueur **Stéphane Dompierre** a entre autres publié *Mal élevé*, *Stigmates et BBQ* et a assuré la direction littéraire du recueil de nouvelles érotiques *Nu* (tous chez Québec Amérique).

Micheline Duff a offert une quinzaine de romans depuis *Clé de cœur* (JCL), en 2000. Les derniers sont ceux de la série *Coup sur coup* (Québec Amérique).

Benoît Dutrizac est animateur à la radio et co-animateur des *Francs-tireurs*. Il a écrit pour les grands (les trois tomes de la série noire *Kafka Kalmar*, aux Intouchables), puis s'est présenté à un lectorat plus jeune grâce à *Meuh où est Gertrude ?* (Fonfon).

Jacques Duval est chroniqueur automobile. Il a participé à la rédaction d'une quarantaine de guides annuels sur le sujet.

Louis Émond est professeur et auteur jeunesse. On lui doit *Taxi en cavale* et *Un si bel enfer* (Pierre Tisseyre), mais pas *Maria Chapdelaine* ! Son dernier livre s'intitule *L'Étrange Peur de M. Pampalon* (Dominique et cie).

Professeur de littérature à l'Université McGill et chroniqueur radio, **Alain Farah** est l'auteur des déjantés *Matamore n° 29* et *Pourquoi Bologne* (Le Quartanier).

On doit au scénariste et dramaturge **Steve Galluccio** *Ciao Bella, Mambo Italiano* et *Funkytown*. Il a aussi signé le livre *Montréal à la Galluccio* en 2012 (Éditions de l'Homme).

Georges-Hébert Germain a écrit les biographies parmi les plus marquantes du Québec (Céline Dion, Guy Lafleur, René Angélil...). *Robert Bourassa*, sa plus récente, est parue en 2012 (Libre Expression).

La romancière **Pauline Gill** a publié la tétralogie *La Cordonnière* (VLB) et la trilogie *Gaby* (Québec Amérique), toutes deux diffusées à grand tirage. Elle a causé des remous en signant, au début des années 1990, *Les Enfants de Duplessis* (Libre expression).

Conceptrice-rédactrice dans une agence de publicité de Montréal, **Geneviève Jannelle** a aussi pondu, entre deux slogans publicitaires, les romans *La Juche* (Marchand de feuilles), *Odorama* et *Pleine de toi* (tous deux chez VLB).

Alexandre Jardin s'évertue à analyser les aléas de la vie amoureuse dans ses romans, du *Zèbre* à *L'Île des*

Gauchers en passant par *Fanfan* (Flammarion). En 2014, il propose *Juste une fois* (Grasset).

Marie Laberge a écrit plusieurs pièces de théâtre et douze romans aux titres évocateurs, dont *Quelques adieux, Le Poids des ombres* et *Revenir de loin* (tous chez Boréal). Son plus récent est *Mauvaise foi* (Québec Amérique).

Connue pour ses œuvres d'autofiction (*Borderline* et *La Brèche*, chez Boréal), **Marie-Sissi Labrèche** a aussi concocté une série pour les jeunes, *Psy malgré moi* (La courte échelle). En 2014, elle nous transporte dans le futur avec *La Vie sur Mars* (Leméac).

Claudia Larochelle anime *Lire* sur ARTV depuis 2012. Elle a publié *Les bonnes filles plantent des fleurs au printemps* (Leméac) et a participé à des recueils, notamment *Amour & libertinage chez les trentenaires d'aujourd'hui*, qu'elle a codirigé. Son plus récent roman s'intitule *Les Îles Canaries* (VLB, projet Vol 459).

Journaliste et auteur, **Normand Lester** a rédigé plusieurs essais et enquêtes, dont le populaire *Livre noir du Canada anglais* (Les Intouchables), et a aussi fait quelques incursions dans la fiction. Depuis 2011, il a fait paraître trois recueils de chroniques.

Reporter culturel au journal *Le Devoir*, **François Lévesque** a entre autres publié *Les Visages de la vengeance* et *L'Esprit de la meute* (Alire). Son dernier roman s'intitule *Une maison de fumée* (également chez Alire).

Révélé avec son roman *Et si c'était vrai...* (Robert Laffont) en 2000, l'écrivain français **Marc Levy** a publié en 2014 son quinzième livre, *Une autre idée du bonheur* (Robert Laffont et Versilio).

Journaliste au *Journal de Montréal*, à *Voir*, à *Rue Frontenac*, puis à *La Presse*, **Philippe Meilleur** a écrit la biographie du chanteur des Colocs, *André Fortin: L'homme qui brillait comme une comète* (VLB).

En plus d'avoir animé l'émission *On prend toujours un train*, **Josélito Michaud** a publié *Passages obligés*, *Dans mes yeux à moi* et *La Gloire démystifiée* (tous trois chez Libre Expression).

Martin Michaud est auteur de romans policiers (*La Chorale du diable*, *Sous la surface*). Son dernier, *Violence à l'origine*, paraît en 2014 (Éditions Goélette).

Historien, politologue, biographe (Pierre Bourgault, Adrien Arcand) et éditeur, **Jean-François Nadeau** est journaliste et membre de la direction de l'information au journal *Le Devoir*. En 2013, il a rassemblé certains de ses textes dans *Un peu de sang avant la guerre* (Lux).

Après avoir été l'un des trois *leaders* de la contestation étudiante durant le printemps érable de 2012, **Gabriel Nadeau-Dubois** est revenu sur les événements un an et demi plus tard avec son essai *Tenir tête* (Lux). En 2014, il a également dirigé le collectif *Libres d'apprendre* (Écosociété).

Paul Ohl est biographe, essayiste et romancier. Il nous a offert en 2008 et 2009 un roman en deux tomes inspiré du héros canadien-français Jos Montferrand (Libre Expression). En 2014, il s'intéresse à la révolution cubaine dans *Les Fantômes de la Sierra Maestra* (Libre Expression).

Bryan Perro est devenu une vedette de la littérature jeunesse grâce à *Amos Daragon*. Aujourd'hui éditeur (Perro Éditeur), il a bonifié d'un quatrième volet sa série *Wariwulf* en 2014.

Écrivaine et journaliste, **Marie Hélène Poitras** s'attire les distinctions depuis la parution de son premier roman, *Soudain le Minotaure* (Triptyque). *Griffintown* (Alto, puis Phébus), prix France-Québec 2013, est son dernier roman.

Actrice, chanteuse et écrivaine, **Louise Portal** est l'auteure d'une douzaine d'œuvres, incluant deux contes pour enfants. *La Promeneuse du Cap* (Hurtubise) est sa plus récente proposition.

Michel Rabagliati a créé sept albums de bande dessinée mettant en vedette son personnage de Paul (La Pastèque). Les aventures de Paul sont traduites en plusieurs langues.

Auteure américaine et anthropologue judiciaire, **Kathy Reichs** a lancé à l'automne 2014 son dix-septième roman mettant en scène son personnage de Temperance Brennan (série publiée en français chez Robert Laffont). Elle travaille aussi au Laboratoire de sciences judiciaires et de médecine légale de Montréal.

Découverte grâce à sa série *Les Chevaliers d'Émeraude*, **Anne Robillard** a écrit une quarantaine de romans. En 2014, elle a lancé la nouvelle trilogie *Le Retour de l'oiseau-tonnerre* (Wellan).

Sonia Sarfati est journaliste-critique à *La Presse* et auteure jeunesse (*Comme une peau de chagrin*, qui lui a valu le Prix du gouverneur général, et *Le Pari d'Agathe* chez Québec Amérique). Cet automne, elle publie *Les Trois Grands Cauchon* (Québec Amérique), illustré par son fils Jared Karnas.

Marie-Claude Savard est animatrice de télé (*MCBG*) et journaliste sportive. Elle a nous a livré un récit autobiographique, *Orpheline*, en 2011 (Libre Expression).

Dramaturge, romancier et cinéaste français, **Éric-Emmanuel Schmitt** (*Oscar et la dame rose*, *Monsieur Ibrahim et les fleurs du Coran*, *La Part de l'autre*) a proposé le roman *L'Élixir d'amour* en 2014 (Albin Michel).

Auteur de *thrillers* fantastiques et de suspense (*Le Vide*, *Hell.com*, *Aliss*, *Les Sept Jours du talion*), **Patrick Senécal** a pondu le quatrième tome de sa série *Malphas* (Alire) en 2014.

Chroniqueur, blogueur, scénariste et auteur, **Matthieu Simard** a écrit tant pour les adultes que pour les adolescents (la série *Pavel* à La courte échelle). *La tendresse attendra* (Stanké) est son dernier livre.

Kim Thúy a connu du succès dès son premier roman, *Ru* (Libre Expression), paru en 2009. Elle a aussi écrit *À toi* avec Pascal Janovjak et *Mãn* (également chez Libre Expression).

Illustrateur et auteur, **Gilles Tibo** a créé plus de 150 livres, principalement pour les jeunes. Il est entre autres derrière la populaire série *Noémie* (Québec Amérique).

Pas une année ne passe sans que le prolifique et constant **Michel Tremblay** n'offre une prose nouvelle. En 2014, un an après *Les Clefs du Paradise*, il publie *Survivre! Survivre!*, huitième tome de *La Diaspora des Desrosiers* (Leméac/Actes Sud).

Guillaume Vigneault a écrit *Carnets de naufrage* et *Chercher le vent* (tous deux chez Boréal), ainsi que le scénario du film percutant *Tout est parfait*. À l'automne 2014, il participe au recueil de nouvelles érotiques *Nu* (Québec Amérique).

REMERCIEMENTS

À tous les auteurs ayant accepté notre invitation pour ce livre, merci de votre générosité.

Merci à Josée Lapointe, qui nous a fait profiter de ses contacts dans le milieu littéraire. À Marie-Noëlle Gagnon et Martine Podesto de Québec Amérique pour leur enthousiasme.

À nos conjoints et enfants qui, encore une fois, ont accepté nos disparitions ponctuelles pour que nous puissions consacrer du temps à ce projet. À tous ceux qui ont lu nos premiers livres, à tous ceux qui liront celui-ci.

Et merci à ceux qui viennent voir les auteurs dans les salons du livre, et nous en particulier, surtout si vous remarquez qu'il n'y a personne à notre stand !

TABLE DES MATIÈRES

JEUNES ET MOINS JEUNES

X-FILES

LES DOCS

VOYAGES DANS LE TEMPS

INTERLUDE

LONGUEURS

SUR LA ROUTE

DE VIE À TRÉPAS

ROCK STARS